0.00

ANOR

DON JUAN MANUEL

EL CONDE LUCANOR

EDICIÓN SIMPLIFICADA PARA
USO ESCOLAR Y AUTOESTUDIO

Esta edición, cuyo vocabulario se ha elegido
entre las palabras españolas más usadas (según
CENTRALA ORDFÖRRÅDET I SPANSKAN
de Gorosch, Pontoppidan-Sjövall y el VOCA-
BULARIO BÁSICO de Arias, Pallares, Alegre),
ha sido resumida y simplificada para satisfacer
las necesidades de los estudiantes de español
con unos conocimientos un tanto avanzados
del idioma.

Edición a cargo de: Berta Pallares

Ilustraciones: Per Illum

© 1984 por Grafisk Forlag/Aschehoug Dansk Forlag A/S
ISBN Dinamarca 87-11-07283-0

Impreso en Dinamarca por
Grafisk Institut A/S, Copenhague

DON JUAN MANUEL
(1282-1348)

El príncipe don Juan Manuel es una figura de primer orden en la literatura española. Con él aparece ya clara la conciencia de escritor y la decidida voluntad de estilo.

Personalidad muy compleja, intervino activamente en las luchas entre los nobles de su tiempo, participó en los asuntos del Estado y aunque su actuación política no fue siempre consecuente murió rodeado de gran prestigio tanto por su origen ilustre como por su obra literaria.

Toda su obra está teñida de un aire aristocrático y en ella predomina el elemento didáctico-moral y la perfección de estilo. La obra está inspirada en los principios de la moral cristiana y en los conceptos fundamentales de la Edad Media.

El conde Lucanor o *Libro de Patronio* es su obra más conocida. Está compuesta por 51 *ejemplos* o cuentos de los que hemos seleccionado 10. La estructura de los relatos es uniforme: el conde Lucanor plantea una cuestión a su consejero Patronio y le pide consejo. Patronio antes de darle el consejo le cuenta un suceso, *un ejemplo* del que puede deducirse la enseñanza. Esta enseñanza se resume en dos versos al final del ejemplo; la intención didáctica queda bien clara.

Los *ejemplos* están tomados de la tradición universal y la originalidad no está en el tema sino en que don Juan Manuel trabaja la materia con una nueva conciencia artística. Los personajes no son paradigmas, sino seres vivos y se realizan como seres humanos lo que pone de manifiesto el espíritu de modernidad del autor. También es original la atmósfera contemporánea de que están rodeados los ambientes y los personajes.

Aparte del tono aristocrático, que va de acuerdo con los intereses nobiliarios del autor desfilan por sus *ejemplos* todas las clases sociales de su tiempo, desde su propio padre, noble de los tiempos del rey Fernando III el Santo hasta el labrador. Cristianos y moros, reyes y estado llano, el gran mago don Illan y el pícaro alquimista, todo un rico manojo de vida cotidiana con su miseria y su grandeza.

Otras obras: *El libro de la caza, Libro del caballero y del escudero, El Libro de los estados.*

NOTA DE LENGUA

La prosa de don Juan Manuel supone un avance en relación con la prosa anterior. Por razones obvias el texto ha sido modernizado. Sin embargo hemos conservado algunos rasgos de la lengua medieval.

Vos en latín significó «vosotros». Y así vive en el siglo XIV todavía. Pero aparece también el uso de *vos* como pronombre de reverencia. Así lo usa en general don Juan Manuel y así se tratan el conde Lucanor y Patronio. Es decir pronombre de reverencia en singular. Pero también con valor de plural, lo que produce cierta ambigüedad que se trasluce todavía en la lengua del siglo XVII donde *vos* a veces ha perdido su valor de respeto totalmente y sólo servía para indicar la falta de familiaridad. Esta ambigüedad persiste hasta que aparece la pareja clara: tú/ usted. Lo mismo pasa con *os*.

Hemos mantenido tipos de construcción como: *os agradecería que me aconsejárais* = le agradecería a usted que me aconsejara, *vos podáis* = pueda usted, *vos pedís* = usted pide, os *atrevéis* = al actual «usted se atreve» y «vosotros os atrevéis». Este *vos* y este *os* pueden interpretarse hoy de manera diferente, según con quien se hable. Así puede ser un *tú* en el cuento VIII cuando el joven moro habla con el perro o cuando el ángel, cuento X, habla al rey-mendigo de *vos,* en que bien puede pensarse un *tú*. En la tradición española un ángel bien puede hablar de tú a un hombre. Finalmente, *don,* forma que actualmente se usa anteponiéndola al nombre propio (nunca al apellido), está usado como forma de tratamiento. Puede interpretarse entre enfática e irónica en el ejemplo VIII cuando el joven se dirige a su caballo diciéndole: «don caballo», pero el raposo (cuento II) habla casi en serio con el cuervo de una manera cortés. Los *ejemplos* seleccionados son los siguientes: V, VII, XI, XXIV, XXVI, XXXIII, XXXV, XLIII y LI del libro de don Juan Manuel.

ÍNDICE

I
DE LO QUE LE SUCEDIÓ A UN *HOMBRE BUENO* CON SU HIJO

Una vez hablando el conde Lucanor con Patronio, su *consejero*, le dijo que estaba muy *preocupado* y en gran *apuro* por una cosa que quería hacer; pues, si llegaba a hacerla, sabía muy bien que muchas gentes le *criticarían*, y si no la hacía estaba convencido de que también le podrían criticar, y con razón. Después de haberle explicado el asunto, le rogó a Patronio que le dijera qué debía hacer.

– Señor conde Lucanor – respondió Patronio –, bien sé que *os encontraréis* muchos que os podrían aconsejar mejor que yo, y que Dios os ha dado muy buen *entendimiento* de tal manera que mi consejo os hace poca falta; pero, pues lo queréis, os diré lo que creo que debéis hacer.

Señor conde Lucanor, mucho me gustaría que *atendiéseis* a un ejemplo de una cosa que sucedió una vez con un buen hombre y su hijo.

El conde le rogó que le dijese qué le había sucedido y Patronio le dijo:

---

hombre bueno, aquí: como hoy: buen hombre
consejero, el que da consejos
preocupado, tener el pensamiento ocupado por una idea de la que siente temor
apuro, situación difícil
criticar, juzgar lo que otro hace
os encontraréis, ver Nota de lengua en página 6
entendimiento, aquí: inteligencia, buen juicio (y así en todos los cuentos que presentamos)
atender, aquí: prestar atención

9

– Señor, había una vez un labrador *honrado* que tenía un hijo que, aunque era muy joven, era de *agudísimo* entendimiento. Cada vez que su padre quería hacer alguna cosa, él le señalaba los *inconvenientes* que podía tener, y, como son muy pocas las cosas que no los tienen, de esta manera le apartaba de hacer muchas cosas que le convenían. *Habéis de* saber que los mozos más inteligentes son los que están más *expuestos* a hacer lo que menos les conviene, pues tienen entendimiento para empezar lo que luego no saben cómo terminar, por lo que, si no se les aconseja, *yerran* muchas veces. Así, aquel mozo, por su *sutileza* de entendimiento y falta de experiencia, impedía que su padre hiciera muchas cosas que tenía que hacer.

Cuando el padre había pasado ya mucho tiempo en esta situación decidió darle un ejemplo de cómo debía hacer las cosas. Y esto por varias razones: una, por los *perjuicios* que recibía por lo que su hijo no le dejaba hacer; otra, por lo que le *fastidiaban* las cosas que su hijo decía y sobre todo, especialmente, por aconsejarle. Y para ello hizo lo que ahora oiréis.

Este hombre y su hijo eran labradores y vivían cerca de una *villa*. Un día de mercado le dijo el padre a

---

honrado, que tiene *honra,* estima de la propia *dignidad* (= calidad de digno) y buena opinión que los otros tienen de la persona
agudo, muy inteligente
inconveniente, aquí: lo que impide hacer algo
habéis de, tenéis que, ver Nota de lengua en página 6
expuesto, perf. de exponer; aquí: caer en peligro de
yerran, de *errar,* equivocarse
sutileza, condición de *sutil* = agudo
perjuicio, daño, material o no
fastidiar, molestar, enfadar
villa, población importante que a veces podía ser ciudad

su hijo que fueran los dos a comprar algunas cosas que necesitaban. Para lo cual llevaron una *bestia*. Camino del mercado, yendo ambos a pie con la bestia sin carga, encontraron a unos hombres que venían de la villa adonde ellos iban. Cuando, después de saludarse, se separaron los unos de los otros, aquellos hombres que encontraron empezaron a decir entre ellos que no parecían muy sensatos ni el padre ni el hijo, pues llevando la bestia sin carga ellos iban a pie. El labrador, después de oir esto, preguntó a su hijo qué le parecía

asno

---

bestia, animal de carga, *asno* o *mula,* ver ilustración

lo que aquéllos decían. El mozo le respondió que creía que tenían razón, ya que no era natural que yendo la bestia sin carga, fuesen ellos a pie. Entonces mandó el honrado labrador a su hijo que montara en la bestia.

Yendo así por el camino encontraron a otros hombres que, al separarse de ellos, dijeron que no estaba bien que el honrado labrador fuera a pie, siendo viejo y cansado, mientras su hijo que, por ser mozo, podía sufrir mejor los trabajos, iba cabalgando. Preguntó entonces el padre al hijo qué le parecía lo que éstos decían. Contestó el mozo que tenían razón. *En vista de ello* le mandó que bajara de la bestia y se subió él a ella.

Al poco rato *tropezaron* con otros, que dijeron que iba contra la razón dejar ir a pie al mozo, que era tierno y que aún no podía sufrir las fatigas, mientras el padre, acostumbrado a ellas, iba montado en la bestia. Entonces le preguntó el labrador a su hijo qué opinaba de esto. Respondióle el joven que, según su opinión, decían la verdad. Al oirlo su padre le mandó que se subiese él también en la bestia, para no ir a pie ninguno de los dos.

Yendo de este modo encontraron a otros que empezaron a decir que la bestia que montaban estaba tan *flaca* que apenas podía andar ella sola, y que era un crimen ir los dos subidos en ella. El honrado labrador preguntó a su hijo qué le parecía lo que aquellos decían. Respondióle el hijo que era muy cierto lo que decían. Entonces el padre replicó de este modo:

---

en vista de ello, expresión fija que indica «ante esto»
tropezar, aquí: encontrarse con
flaco, delgado

– Hijo, piensa que cuando salimos de casa y veníamos a pie y traíamos la bestia sin carga ninguna, tú lo *aprobaste*. Cuando encontramos gentes en el camino que lo criticaron y yo te mandé montarte en la bestia y me quedé a pie, también lo aprobaste. Después tropezamos con otros hombres que dijeron que no estaba bien y, en vista de ello, te bajaste tú y me monté yo y tú dijiste que aquello era lo mejor. Y porque los que encontramos después nos lo criticaron, te mandé subir en la bestia conmigo; entonces dijiste que era mejor esto que ir tú a pie y yo solo montado en la bestia. Ahora estos dicen que no hacemos bien en ir los dos montados y también lo apruebas. Pues nada de esto puedes negar, te ruego que me digas qué es lo que podemos hacer para que la gente no pueda criticar lo que hacemos: ya nos criticaron ir los dos a pie, ir tú montado y yo a pie, ir yo montado y tú a pie, y ahora nos critican ir los dos montados. Fíjate bien que tenemos que hacer alguna de estas cosas, y que todas ellas las critican. Esto te ha de servir para aprender a *conducirte* en la vida, y debes estar seguro de que nunca harás nada que le parezca bien a todo el mundo, pues si haces una cosa buena, los malos, y además todos aquéllos a quienes no *beneficie,* la criticarán, y si la haces mala, los buenos, que aman el bien, no podrán aprobar lo que hayas hecho mal. Por tanto, si tú quieres hacer lo que más te convenga, haz lo que creas que es mejor y que te beneficia, con tal de que no sea malo y en ningún caso lo dejes de hacer por miedo *al*

---

aprobar, estar de acuerdo
conducirse, aquí: obrar
beneficiar, producir *beneficio* = provecho

qué dirán, pues la verdad es que las gentes dicen lo primero que se les ocurre, sin pararse a pensar en lo que nos conviene.

Y a vos, señor conde Lucanor, pues me pedís consejo sobre esto que queréis hacer, pero que teméis que os critiquen, aunque estáis seguro de que también lo harán si no lo hacéis, os doy este consejo: que antes de *ponerlo por obra* miréis el daño o el provecho que os pueda venir, y que, no fiándoos de vuestro *criterio* y teniendo cuidado de que no os engañe la fuerza del deseo, busquéis el consejo de los que son inteligentes, fieles y capaces de guardar secreto. Y si no encontráis tales consejeros, no toméis decisiones muy *apresuradas,* y, si no son cosas que *corren prisa,* dejad pasar por lo menos un día y una noche. Si tenéis esto en cuenta os aconsejo que no dejéis de hacer lo que más os convenga por temor a lo que las gentes puedan decir.

El conde *tuvo por* buen consejo éste de Patronio, lo puso por obra y le salió muy bien. Cuando *don Juan* oyó este cuento lo mandó poner en este libro y escribió estos versos, en los que se encierra la *moraleja* del cuento:

No dejes de hacer lo que te es conveniente
y no hagas otra cosa, aunque hable la gente.

---

el qué dirán, frase hecha: lo que dicen o pueden decir los demás
poner por obra, hacer
criterio, juicio propio
apresurado, con prisa, sin pensar
correr prisa, que no puede esperar
tener por, considerar
don Juan es don Juan Manuel el autor del libro. Así en todos los cuentos.
moraleja, enseñanza que se *deduce* (= saca) de un cuento

mula

Preguntas

1. ¿Qué relación existe entre el padre y el hijo?

2. ¿Cuál es el problema que existe entre ellos?

3. ¿Qué hace el padre para enseñar a su hijo?

4. ¿Por qué le molesta al padre la actitud del hijo?

5. ¿Cuáles han sido las distintas decisiones que han adoptado y cómo han sido criticadas por la gente?

6. ¿Qué piensa usted mismo?

7. ¿Qué solución propone usted?

8. ¿Cuál es la enseñanza que se saca de este cuento?

9. ¿Quiénes son los personajes del relato completo?

10. ¿Quién es don Juan?

II
DE LO QUE LE SUCEDIÓ A UN *RAPOSO* CON UN *CUERVO* QUE TENÍA UN PEDAZO DE *QUESO* EN EL *PICO*

Otra vez hablaba el conde Lucanor con Patronio, su consejero y le dijo:

– Patronio, un hombre que se dice amigo mío me empezó a *elogiar* mucho, dándome a entender que yo tenía mucha honra y mucho poder. Cuando me había elogiado todo lo que pudo, me propuso una cosa que a mí, a primera vista, según lo que yo puedo entender, me parece que me conviene.

Entonces el conde le contó a Patronio lo que su amigo le proponía, que, aunque a primera vista parecía de provecho, Patronio se dio cuenta del engaño que se ocultaba bajo las hermosas palabras. Y por ello le dijo al conde:

– Señor conde Lucanor, sabed que este hombre os quiere engañar, dándoos a entender que vuestra honra y vuestro poder son mayores de lo que en realidad son. Para que os podáis guardar del engaño que quiere haceros, me gustaría que supierais lo que le sucedió al cuervo con el raposo.

El conde le preguntó qué le había sucedido.

– Señor conde – dijo Patronio –, el cuervo encontró una vez un pedazo muy grande de queso y se subió a un árbol para comer el queso más a gusto y sin que nadie le molestara. Estando así el cuervo, pasó el

---

raposo, cuervo, queso, pico, ver ilustración; la forma más corriente de *raposo* es *zorro*
elogiar, alabar

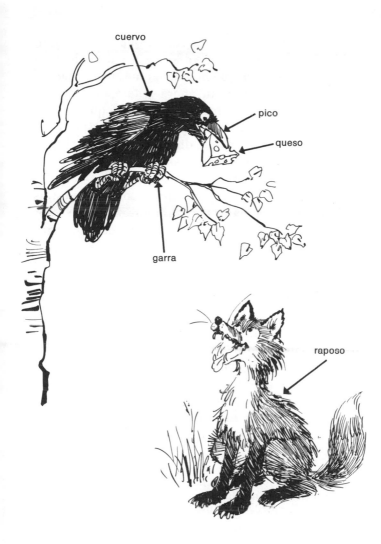

cuervo

pico

queso

garra

raposo

raposo y, cuando vio el queso, empezó a pensar en la manera de poder quitárselo. Empezó, para ello, a hablar de esta manera:

– *Don* Cuervo, hace ya mucho tiempo que he oído hablar de *vos* y de vuestra nobleza y de vuestra hermosura. Aunque os busqué mucho no fue la voluntad de Dios, que os viera hasta ahora y tampoco tuve la suerte de haberos visto antes y ahora que os veo *encuentro* que sois muy superior a lo que me decían. Para que veáis que no os lo digo por *lisonjearos* os diré, junto con lo que las gentes alaban en vos, aquellos defectos que os *atribuyen.*

Todo el mundo dice que como el color de vuestras plumas, ojos, *pico,* patas y *garras* es negro, y este color no es tan bonito como otros colores, el ser todo negro os hace muy feo, y no se dan cuenta de que se equivocan, pues aunque es verdad que vuestras plumas son negras, su *negrura* es tan brillante que tiene reflejos azules, como las plumas del *pavo real,* que es el ave más hermosa del mundo, y, aunque vuestros ojos son negros, el color negro es para los ojos mucho más hermoso que ningún otro, pues la propiedad de los ojos es ver, y como el negro hace ver mejor, los ojos negros son los mejores, por lo cual los ojos de la *gacela,* que son más oscuros que los de los otros animales, son muy alabados. Además, vuestro pico y vuestras garras son mucho más fuertes que los de ninguna otra ave de

---

don, vos, ver Nota de lengua; *don* es forma de tratamiento que se pone delante del nombre propio; el zorro emplea un tono educado y le habla de *vos* = usted

encuentro de *encontrar,* aquí: descubrir, ver, comprobar

lisonjear, satisfacer el amor propio de alguien

atribuir, aplicar hechos o cualidades a algo o a alguien

pico, garras, ver ilustración en página 17

negrura, cualidad de negro

gacela, ver ilustración en página 21

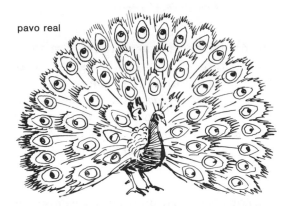

pavo real

vuestro tamaño. También tenéis, al volar, tan gran *ligereza,* que podéis ir contra el viento aunque éste sea muy fuerte, lo que ninguna otra ave puede hacer tan fácilmente como vos. Y creo que puesto que Dios lo hace todo perfecto, no habrá consentido que, pues sois en todo tan perfecto, falte en vos el *don* de cantar mucho mejor que ningún otro pájaro. Y pues Dios me hizo la *merced* de que os viese, y contemplo en vos más *perfecciones* de las que oí, me tendría por dichoso toda mi vida si os oyese cantar.

Fijaos bien, señor conde, que aunque la intención del raposo era engañar al cuervo, lo que dijo fue siempre verdad. Y estad seguro de que los engaños y daños *mortales,* siempre son los que se dicen con verdad *engañosa.*

---

ligereza, cualidad de ligero, rápido, aquí: rapidez
don, gracia, posibilidad de hacer algo
merced, palabra antigua = favor
perfección, calidad de perfecto
mortal, que causa la muerte o que produce daños o graves consecuencias
engañoso, mentiroso, que engaña o dice mentira

Cuando el cuervo vio de qué manera le alababa el raposo y cómo le decía la verdad, creyó que en todas las cosas se la diría y lo tuvo por amigo, sin sospechar que esto lo hacía por quitarle el queso que tenía en el pico. Movido por sus *elogios* y por sus ruegos para que cantara, abrió el pico, con lo que el queso cayó en tierra. El raposo lo cogió y huyó con él. De esta manera engañó al cuervo haciéndole creer que era muy hermoso y que tenía más perfecciones de las que en verdad tenía.

Vos, señor conde Lucanor, pues veis que, aunque Dios os hizo merced de todo, ese hombre os quiere *persuadir* de que tenéis mayor poder y mayor honra o más bondades de lo que vos sabéis que tenéis, convencéos de que lo hace para engañaros. Guardaos bien de él, que, haciéndolo, obraréis como hombre *prudente*.

Al conde le agradó mucho lo que Patronio le dijo, lo hizo así y con su consejo no se equivocó. Como don Juan comprendió que este cuento era bueno, lo hizo poner en este libro y escribió unos versos en los que se expone *abreviadamente* la intención y dicen así:

Quien te alaba lo que tú no tienes
quiere quitarte aquello que tienes.

---

elogio, alabanza
persuadir, obligar o mover a alguien a creer algo
prudente, aquí: que tiene buen juicio
abreviadamente, de modo más *breve* = corto

gacela

Preguntas

1. ¿Cuál es la enseñanza de este cuento?

2. ¿Cuáles son los rasgos distintivos de cada uno de los animales que aparecen en el cuento?

3. ¿Cuál es el problema del conde Lucanor?

4. ¿Es muy dependiente el conde de su consejero?

5. ¿Conoce otro ejemplo en el que tome parte el zorro? Si lo conoce, coméntelo y relaciónelo con éste.

III
DE LO QUE LE SUCEDIÓ A UNA MUJER LLAMADA DOÑA TRUHANA

Otra vez hablaba el conde Lucanor con Patronio, su consejero, del siguiente modo:

– Patronio, un hombre me ha aconsejado que haga una cosa, y aún me ha dicho cómo podría hacerla, y os aseguro que es tan *ventajosa* que, si Dios quisiera que saliera como él dijo, me convendría mucho, pues los beneficios se *encadenan* unos con otros de tal manera que al fin son muy grandes.

Entonces le contó a Patronio en qué consistía. Cuando Patronio oyó lo que le había contado el conde le respondió de esta manera:

– Señor conde Lucanor, siempre oí decir que era de buen sentido *atenerse* a la realidad y no a las esperanzas, pues muchas veces sucede a los que confían en sus esperanzas lo mismo que le sucedió a doña Truhana.

El conde le preguntó qué le había sucedido.

– Señor conde – dijo Patronio –, hubo una mujer llamada doña Truhana, más pobre que rica, que un día iba al mercado llevando sobre su cabeza una *olla* de *miel*. Yendo por el camino empezó a pensar que vendería en el mercado aquella olla de miel y que con el dinero que sacara compraría huevos y que de esos huevos nacerían *gallinas* y *gallos,* y que luego con el

---

ventajosa, que tiene ventaja
encadenar, que va uno relacionado con otro como los *eslabones* de una *cadena* ver ilustración en página 25
atenerse, aquí: *basarse* = tomar como base
miel, materia amarilla y dulce que produce la *abeja* (ilustrac.)
gallina, hembra, (= parte feminina de la pareja) del gallo

olla

abeja

oveja

colmena

miel

gallo

dinero que sacara de venderlos, compraría *ovejas,* y así fue comprando con las ganancias hasta que se vio más rica que ninguna de sus vecinas. Luego pensó que con aquella riqueza que pensaba tener casaría a sus hijos e hijas e iría acompañada por la calle de *yernos* y

yerno, el marido de la hija en relación con los padres de ésta

nueras, oyendo a la gente celebrar su buena *ventura,* que la había hecho llegar a tanta *prosperidad* desde la pobreza en que antes vivía.

Pensando en esto se empezó a reir con la alegría que tenía de su buena suerte y, al reirse, se dio con la mano un golpe en la frente, con lo que la olla de la miel cayó en tierra y se partió en pedazos. Cuando vio la olla rota, empezó a *lamentarse* como si hubiera perdido lo que pensaba haber logrado si la olla de la miel no se hubiera roto. De modo que, por poner su pensamiento en lo que imaginaba no logró nada de lo que quería.

Vos, señor conde Lucanor, si queréis que las cosas que os dicen y las que pensáis sean un día realidad, fijaos bien en que sean posibles y no *fantásticas,* dudosas y *vanas,* y si quisiéreis intentar algo *guardáos* muy bien de *aventurar* nada que *estiméis* por la esperanza de un provecho del que no estéis seguro.

Al conde le agradó mucho lo que dijo Patronio, lo hizo así y le salió muy bien. Y como a don Juan le gustó este ejemplo, lo mandó poner en este libro y escribió estos versos:

> En las cosas ciertas confiad
> y las esperanzas vanas evitad.

---

nuera, la mujer del hijo en relación con los padres de éste
ventura, suerte, dicha
prosperidad, aquí: *abundancia* = riqueza
lamentarse, quejarse
fantástico, aquí: que no tiene realidad, producto de la fantasía
vano, vacío, sin contenido
guardáos, = guárdese usted, Ver Nota de lengua. Aquí: dejar de hacer algo que no es conveniente
aventurar, poner en peligro
estimar, aquí: considerar importante

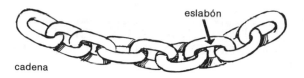

eslabón

cadena

Preguntas

1. ¿Qué situación tiene doña Truhana al comienzo del relato y cuál al final?

2. ¿Cuál es la idea de doña Truhana?

3. ¿Cuál es el razonamiento de doña Truhana?

4. Comente el tema de las ilusiones sin mucho fundamento.

5. ¿Conoce alguna variante de este cuento en otra literatura? Si la conoce coméntela.

6. ¿Qué ambiente social se deduce del cuento?

IV
LO QUE LE SUCEDIÓ A UN *DEÁN* DE *SANTIAGO* CON DON ILLÁN, EL *MAGO* DE *TOLEDO*

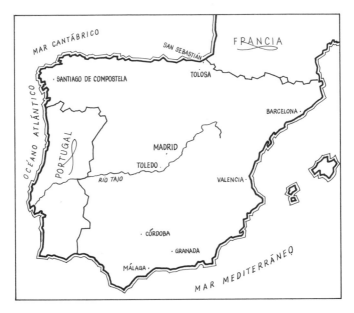

Otro día, hablando el conde Lucanor con Patronio, su consejero, le dijo:

– Patronio, una persona vino a rogarme que le ayudara en un asunto en que me necesita, prometiéndome que después haría por mí lo que le pidiera. Antes de

---

deán, el que hace de cabeza del *cabildo* = conjunto de hombres de iglesia en la *catedral* (ver ilustración en página 29)
Santiago, Toledo, ver mapa
mago, el que hace operaciones de *magia,* arte que enseña a hacer cosas extraordinarias y admirables

que él hubiera logrado lo que *pretendía,* pero creyendo que ya lo había logrado, le pedí una cosa que me convenía mucho que la hiciera y él se negó, con no sé qué *pretexto.* Después le pedí otra cosa en que podía servirme y volvió a negarse, y lo mismo hizo con todo lo que le pedí. Pero aún no ha logrado lo que pretendía ni lo logrará, si yo no le ayudo. Por la confianza que tengo en *vos* y en vuestro buen juicio *os* agradecería que me aconsejárais lo que debo hacer.

– Señor conde – respondió Patronio –, para que *podáis* hacer lo que debéis, quiero que sepáis lo que le sucedió a un deán de Santiago con don Illán el mago que vivía en Toledo.

Entonces el conde le preguntó qué le había pasado.

– Señor conde – dijo Patronio –, había un deán en Santiago que tenía muchas ganas de saber el arte de la *nigromancia.* Como oyó decir que don Illán de Toledo era en aquella época el que la sabía mejor que nadie, *se vino a* Toledo para aprenderla con él. Al llegar a Toledo se fue enseguida a casa de don Illán, a quien halló leyendo en un salón muy *apartado.* Cuando le vio entrar le recibió muy bien y dijo que no quería que le explicara la causa de su venida hasta después de haber comido, y cuidó muy bien de él y le dio en su casa muy buenos *aposentos* y le dio todo lo necesario

---

pretender, desear alcanzar
pretexto, causa o motivo que se da para no hacer algo
vos, os, podáis, Ver Nota de lengua
nigromancia, arte para averiguar el futuro (= magia negra)
se vino a, la historia tiene lugar en Toledo, aquí: fue de Santiago a Toledo
apartado, aquí: lejos del ruido propio de la casa
aposento, habitación, cuarto

para su comodidad. Finalmente le dijo que se alegraba mucho de tenerle consigo. Después de comer se quedaron solos y el deán le contó el motivo de su viaje e insistió mucho en que le enseñara la *ciencia mágica,* que tenía tantos deseos de aprender. Don Illán le dijo que él era deán y hombre de gran *calidad* dentro de la Iglesia y que podía subir mucho más aún, y que los hombres que tienen gran *estado* cuando han alcanzado lo que pretenden, olvidan muy pronto lo que los demás han hecho por ellos; por lo que él temía que, cuando hubiera aprendido lo que quería saber, no querría hacer por él lo que ahora prometía. El deán entonces le aseguró que, en cualquier *dignidad* a que llegara, no haría más que lo que él le mandase. Hablando de esto estuvieron desde que acabaron de comer hasta la hora de cenar. *Puestos de acuerdo,* le dijo el maestro que aquella ciencia no se podía aprender sino en un lugar muy *recogido* y que esa misma noche le enseñaría dónde habrían de estar hasta que hubiese aprendido lo que deseaba saber. Y, cogiéndole de la mano, le llevó a una sala, donde, estando solos, llamó a una criada, a la que dijo que preparase unas *perdices* para la cena, pero que no las pusiera a *asar* hasta que él lo mandase.

Dicho esto, llamó al deán y entraron los dos por una

---

ciencia mágica, arte y ciencia de la magia
calidad, aquí: persona de gran importancia
estado, situación de importancia
dignidad, aquí: empleo importante
ponerse de acuerdo, llegar a estar de acuerdo, conformes
recogido, apartado y silencioso
perdiz, ver ilustración en página 35
asar, hacer que la perdiz pueda comerse poniéndola al fuego. Ver ilustración en página 35

escalera de piedra y bajaron tanto que al deán le pareció que el *Tajo* tenía que pasar por encima de ellos.

Tajo, ver mapa en página 26

Llegados al final de la escalera, le enseñó el maestro una habitación muy *espaciosa* y una sala muy bien adornada donde estaban los libros y donde iban a estudiar. Apenas se habían sentado y cuando estaban eligiendo los libros por donde habrían de empezar las lecciones entraron dos hombres, que dieron al deán una carta que le enviaba el *arzobispo* su tío y en la que le decía que estaba muy enfermo y le rogaba que, si quería verle vivo, se fuera enseguida para Santiago. El deán se disgustó mucho con la noticia, lo uno por la enfermedad de su tío y lo otro porque tenía que dejar el estudio que había comenzado. Pero resolvió no dejar tan pronto el estudio recién comenzado y escribió a su tío una carta contestando a la suya. A los tres o cuatro días llegaron otros hombres con cartas para el deán en las que le informaban que el arzobispo había muerto y que en la *catedral* estaban todos buscando *sucesor* y que pensaban que le elegirían a él; por todo lo cual era mejor que no *se apresurara* a ir a Santiago, ya que mejor sería que le eligieran estando él fuera que no en la *diócesis*.

Al cabo de siete u ocho días vinieron a Toledo dos

---

espaciosa, grande
arzobispo, dignidad en la iglesia, superior a la de *obispo* = el que gobierna una *diócesis* = territorio en el que ejerce la autoridad espiritual el obispo o el arzobispo. Este territorio se llama: *obispado* o *arzobispado*
catedral, iglesia principal de una ciudad y que está bajo la dirección del obispo
sucesor, que sucede a otro
apresurarse, darse prisa
diócesis, ver nota a *arzobispo*

cardenal

deán

papa

obispo

escuderos muy bien vestidos y con muy buenas armas y caballos, los cuales, llegando ante el deán, le besaron la mano y le dieron las cartas en que le decían que le habían elegido arzobispo. Cuando don Illán oyó esto, se fue al arzobispo *electo* y le dijo que agradecía mucho a Dios que le hubiera llegado tan buena noticia estando en su casa, y que, pues Dios le había hecho arzobispo, le pedía por favor que diera a su hijo el *deanazgo* que quedaba *vacante*. El arzobispo le dijo que le rogaba que consintiera en que aquel deanazgo fuera para un hermano suyo, pero que él le prometía que

---

escudero, el que lleva el *escudo* del caballero cuando éste no lo usa. Aquí: criado. Ver ilustración en página 29
electo, forma culta: elegido
deanazgo, dignidad de deán y el territorio en el que el deán ejerce su autoridad espiritual
vacante, que no está ocupado

emplearía a su hijo de manera que quedara muy contento y acabó pidiéndole que le acompañara a Santiago y que llevara a su hijo. Don Illán dijo que lo haría.

Se fueron, pues, para Santiago, donde los recibieron muy bien. Cuando ya habían pasado allí algún tiempo llegaron un día *mensajeros* del *papa* con cartas para el arzobispo, donde le decía que le había hecho *obispo* de *Tolosa* y que le concedía la *gracia* de que pudiese dar aquel arzobispado a quien él quisiese. Cuando don Illán oyó esto, le pidió con mucho interés que se lo diese a su hijo, recordándole las cosas que le había prometido y lo que antes había sucedido, pero el arzobispo le rogó otra vez que consintiera que se lo dejara a un tío suyo, hermano de su padre. Don Illán replicó que, aunque no era justo, consentía en ello a condición de que le diese mejor empleo más adelante. El arzobispo volvió a prometerle que así lo haría y le rogó que se fuera con él a Tolosa y que llevara a su hijo.

Al llegar a Tolosa fueron recibidos muy bien por los condes y por toda la gente principal de aquella región. Habiendo vivido en Tolosa dos años, llegaron al obispo mensajeros del papa, diciéndole que le había hecho *cardenal* y que le autorizaba a dejar su *obispado* a quien él quisiera. Entonces don Illán se fue a él y le

---

mensajero, el que lleva un *mensaje* = carta o noticia
papa, la máxima autoridad de la Iglesia católica.
Tolosa, ver mapa en página 26
gracia, favor
cardenal, uno de los que componen el Colegio de consejeros del papa
obispo, obispado, ver nota a *arzobispo* en página 30

dijo que, pues tantas veces había dejado sin cumplir lo que había prometido, ya no era el momento de más excusas sino de dar el obispado que quedaba vacante a su hijo. El cardenal le rogó que consintiera que aquel obispado fuera para un tío suyo, hermano de su madre, hombre de muy buenas cualidades, pero que, pues él ahora era cardenal, que se fuera con él a la corte de Roma que no faltarían muchas ocasiones de hacerle favores. Don Illán le dijo con mucha pena que no era justo que no cumpliera lo que prometía, pero aceptó lo que quiso el cardenal y se fue para Roma con él. Cuando llegaron a Roma fueron muy bien recibidos por los demás cardenales y por toda Roma. Vivieron en Roma mucho tiempo y don Illán le rogaba cada día al cardenal que le diera a su hijo algún empleo y él se excusaba siempre.

Murió el papa. Entonces todos los cardenales le eligieron papa. Don Illán se fue a él y le dijo que ahora no podía poner ningún pretexto para no hacer lo que había prometido. El papa replicó que ya llegaría el momento para *favorecer* a su hijo. Don Illán se quejó mucho, recordándole lo que había prometido y cómo nunca había cumplido lo que prometiera, y aún añadió que esto lo había él temido la primera vez que habló con él, y que, pues había llegado tan alto y no le cumplía lo prometido, no tenía ya nada que esperar de él. El papa se molestó mucho con esto y le dijo que si se seguía quejando que le metería en la cárcel, pues bien sabía él que era *hereje* y *encantador* y que no había

---

favorecer, hacer favores
hereje, cristiano que en cosas de fe se opone a algo que dice la Iglesia
encantador, que ejercita el arte de la magia, mago

tenido en Toledo otro medio de vida sino enseñar el arte de la nigromancia.

Cuando don Illán vio el mal pago que le daba el papa, se despidió de él, sin que éste ni siquiera le quisiese dar nada para comer durante el camino. Entonces don Illán le dijo al papa que, pues no tenía otra cosa que comer, comería las perdices que había mandado asar aquella noche, y llamó a la mujer y le mandó que asase las perdices.

Al decir esto don Illán, el papa se halló en Toledo y siendo deán de Santiago, como lo era cuando allí llegó. Y fue tanta su vergüenza por lo que había pasado que no supo qué decir. Don Illán le dijo que se fuera en paz, que ya había sabido lo que podía esperar de él, y que parecía un gasto inútil invitarle a comer de aquellas perdices.

Vos, señor conde Lucanor, pues veis que la persona por quien tanto habéis hecho os pide vuestra ayuda y no os lo agradece, no tenéis por qué trabajar para ponerla en situación desde la cual os dé el mismo pago que dio aquel deán al mago de Toledo.

El conde, viendo que este consejo era muy bueno, lo hizo así y le salió muy bien. Y como a don Juan le pareció que este cuento era bueno, lo hizo poner en este libro y compuso estos versos:

De aquel a quien mucho ayudases y no te lo agradeciese
tendrás menos ayuda cuanto más alto subiese.

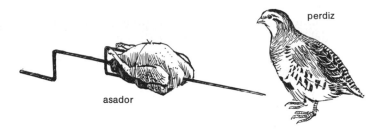

perdiz

asador

Preguntas

1. ¿Quiénes son los personajes principales de este cuento?

2. ¿Qué relación tiene Patronio con el conde Lucanor y cuál es la relación entre don Illán y el deán?

3. ¿Cómo recibió el mago al deán?

4. ¿Qué quiere el deán y qué piensa don Illán de los hombres que llegan a ser importantes? ¿Está usted de acuerdo con don Illán?

5. ¿Qué cargos llega a tener el deán? Explique la serie de estos cargos y su importancia dentro de la Iglesia.

6. ¿Cómo obra el deán en relación con el mago?

7. ¿Qué hace don Illán cuando se cansa de que el deán no cumpla nunca lo que promete?

8. Comente la situación de realidad y no realidad del relato (realidad mágica): solamente en la página 34 se da cuenta el lector de que todo ha sido irreal. ¿Cuál es su reacción como lector?

9. ¿Qué hace el deán cuando se ve en Toledo siendo sólo deán?

10. ¿Cuál es el mensaje de este cuento?

11. ¿Cuál de los personajes le ha interesado más?

12. ¿Conoce alguno de los lugares que se citan? Si lo conoce hable de él.

V
DE LO QUE LE SUCEDIÓ A UN REY QUE QUISO PROBAR A SUS TRES HIJOS

Un día hablaba el conde Lucanor con Patronio, su consejero y le dijo así:

– Patronio, en mi casa se crían muchos mozos, hijos de grandes señores, y otros, hijos de simples caballeros, en los cuales descubro cualidades muy singulares y variadas. Por el buen entendimiento que tenéis os ruego que me digáis de qué manera podré conocer cuáles de estos mozos llegarán a ser hombres de provecho.

– Señor conde – respondió Patronio –, esto que me pedís me es muy difícil decíroslo con *certeza,* pues no se puede conocer con seguridad nada del futuro, y lo que me preguntáis es una cosa que está en el futuro. Sólo sabemos lo que se *deduce* por las señales que aparecen en los mozos tanto en lo de dentro como en lo de fuera. Así vemos por fuera que las *facciones,* la *apostura,* el color, la forma del cuerpo y de todos los miembros reflejan la constitución de los órganos más importantes, como el corazón, el cerebro y el *hígado.* Pero aunque estas señales son *elocuentes,* nada se sabe con certeza, pues pocas veces las señales *concuerdan,* sino que unas señalan una cosa y otras lo contrario; aunque

---

certeza, seguridad
deducir, sacar en consecuencia
facciones, las partes de la cara
apostura, forma antigua: buena figura, se usa hoy todavía
hígado, ver ilustración en página 38
elocuente, sent. fig. que habla
concuerda de *concordar* = estar de acuerdo

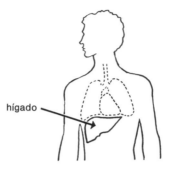

hígado

generalmente según son estas señales así resultan las obras.

Los *indicios* más ciertos nos los da la cara y, sobre todo, los ojos, y también la apostura, que pocas veces nos engañan. Y no creáis que por apostura se entiende ser un hombre hermoso, pues hay muchos hombres que son hermosos y no tienen apostura *varonil,* y otros que son feos y tienen mucho *garbo* y mucha *gallardía.*

La forma del cuerpo y de los miembros nos revela la *complexión;* de ella deducimos si el hombre será valiente o no.

Pero aunque esto se vea desde fuera, no se ve cómo serán las obras. Por eso digo que éstas son señales y pues digo señal, digo cosa no cierta, porque la señal siempre es cosa que *parece* a través de ella lo que debe

---

indicio, lo que indica algo
varonil, propio de *varón* = hombre
garbo, belleza en los movimientos, buen aire
gallardía, buen aire, apostura
complexión, forma y naturaleza de la persona
parece, aquí = aparece; la señal es un indicio de lo que es en verdad

38

aljuba

almejía

ser, pero no nos dan seguridad, ya que la señal indica lo probable, pero no lo que *forzosamente* haya de pasar. Estas son las señals que se ven por fuera y que, vuelvo a repetir, son siempre dudosas.

---

forzosamente, a la fuerza

Para que podáis conocer el carácter de los mozos por las señales de dentro, que son un poco más seguras, me gustaría que supierais cómo probó un rey *moro* a sus tres hijos para ver cuál de ellos debía sucederle.

El conde le rogó que se lo contara.

– Señor conde Lucanor – dijo Patronio –, un rey moro tenía tres hijos; como entre los moros sucede al padre el hijo que él *designa,* cuando el rey llegó a la vejez, los hombres más *ilustres* del país le pidieron que señalara cuál de aquellos hijos quería que reinara después de él. El rey respondió que se lo diría a la vuelta de un mes.

A los ocho o diez días le dijo una tarde al hijo mayor que a la mañana siguiente, muy temprano, quería salir con él a caballo. A la mañana siguiente el *infante* fue en busca del rey, pero no tan temprano como le había dicho. Cuando llegó le dijo el rey que quería vestirse, que mandara traer su ropa. El infante le dijo al *camarero* que llevase la ropa; éste le preguntó qué ropa quería. El infante fue a preguntárselo al rey, que respondió que quería la *aljuba* lo que fue a decir al camarero, que preguntó qué *almejía* quería el rey. El infante volvió a preguntarlo. Esto sucedió con cada una de las

---

moro, natural de África. Se dice de los que llegaron a España en el siglo VIII y mediante guerras la ocuparon viviendo en ella hasta el siglo XV y creando la cultura hispanoárabe

designar, señalar a una persona para que haga una cosa

ilustre, célebre e importante

infante, hijo del rey nacido después del príncipe y ant. = príncipe

camarero, aquí: criado del rey, que sirve en su *cámara* = habitación privada del rey

aljuba, almejía, ver ilustración en página 39

prendas, yendo y viniendo el infante del rey al camarero, hasta que todo *estuvo listo* y, venido éste, vistió y
calzó al rey.

Cuando el rey estuvo vestido y calzado, mandó al
infante que hiciera llevar el caballo a donde él estaba.
El infante se lo dijo al *caballerizo,* que preguntó que
cuál quería el rey. El infante entonces lo fue a preguntar a su padre y lo mismo hizo con la *silla,* el *freno,* la
espada y las *espuelas;* es decir con todo lo necesario
para cabalgar. Cuando ya estaba todo preparado le
dijo el rey al infante que no podía salir de paseo, pero
que fuera él por la ciudad y que se fijara en todo lo que
viera para contárselo. Cabalgó el infante, *escoltado* por
los hombres más ilustres que había en la corte y acompañado de muchas *trompetas* y *tambores* y otros instrumentos. De este modo anduvo un rato por la ciudad.
Cuando volvió, el rey le preguntó qué le parecía lo que
había visto. Dijo que muy bien, pero que el ruido de
los instrumentos le era muy molesto.

A los pocos días mandó el rey a su hijo segundo que
fuese por la mañana a donde él estaba. Así lo hizo el
infante. El rey le *sometió* a las mismas pruebas que al
hermano mayor. El infante dijo, como el otro, que la
ciudad le parecía muy bien.

---

prendas, cada una de las partes que componen el vestido
estar listo, estar preparado
calzar, poner el *calzado* = zapato
caballerizo el encargado de la *caballeriza* (del rey) = lugar
donde están los caballos
silla, freno, espada, espuelas, ver ilustración en página 42
escoltado, acompañado
trompeta, tambor, ver ilustración en página 42
someter, obligar a alguien a hacer algo

muralla

mezquita

infante

silla

espada

trompeta

espuela

freno

tambor

No pasaron muchos días sin que el padre mandase al hijo menor que saliese con él muy temprano. El infante se levantó antes de que el rey se despertara, esperó a que lo hiciera, y entonces entró en su *cámara* a saludarle con la humildad que le debía. El rey le pidió que hiciese llevar su ropa a la cámara. El hijo menor le preguntó qué quería ponerse de vestir y de calzar, y de una sola vez fue a buscarlo y lo llevó, sin permitir que nadie más que él vistiera y calzara a su padre, dándole a entender que se alegraba mucho de servirle, y que, por ser su hijo, era muy natural que lo hiciera.

Cuando el rey estuvo vestido y calzado, le dijo que mandara a buscar el caballo. Él le preguntó qué caballo quería y con qué silla y freno y cuál espada y así le preguntó por todas las cosas necesarias para cabalgar. Le preguntó también de quién quería ir acompañado y no olvidó nada de lo que hacía falta preguntar. Hecho esto lo llevó todo y lo ordenó todo como su padre lo había mandado. Entonces le dijo el rey que ya no quería cabalgar, mas que fuera él y le contara todo lo que viera. El infante cabalgó, acompañado por los *cortesanos,* como lo habían hecho los otros hijos. Nadie, sin embargo, sabía cuál era la intención del rey.

Cuando el infante salió de palacio mandó que le enseñaran el interior de la ciudad, las calles y el lugar donde su padre tenía su tesoro; preguntó cuáles eran las cosas más notables de ella y cuántos *moradores* y *mezquitas* tenía; después salió al campo, mandó reunir todos los hombres de armas de a pie y de a caballo que su padre tenía y les ordenó que *torneasen* y le mostra-

---

cámara, ver nota a *camarero* en página 40
cortesanos, los que viven cerca del rey
moradores, los que *moran* = viven, habitan = habitantes
tornear, hacer *torneos* = combate a caballo entre dos o varias personas en una fiesta en la que se imita la lucha, a caballo

sen todos los *juegos de armas*. También vio las *murallas,* torres y castillos de la ciudad. Cuando terminó de ver todas estas cosas se volvió a palacio.

Al llegar el infante era ya muy tarde. El rey le preguntó por lo que había visto. El infante le contestó que, si no le molestaba, le diría la verdad. El padre le mandó que se la dijera, *so pena de su bendición.* El infante le dijo que, aunque siempre le creyó un buen rey, se había convencido de que no lo era tanto, pues teniendo tanta y tan buena gente y tanto poder y tanto dinero no se explicaba que todo el mundo no fuera ya suyo.

Al rey le agradó mucho la *franqueza* de su tercer hijo, de modo que cuando llegó el momento de nombrar sucesor dijo que nombraba al más pequeño. Hizo esto llevado por las señales que vio en los otros y por las que vio en éste. Aunque el rey hubiera preferido que le sucediera uno de los otros hijos, creyó más prudente designar a éste.

Vos, señor conde Lucanor, si queréis saber qué mozo será hombre de más provecho, fijáos en estas cosas, pues por ellas podréis saber algo de lo que cada uno dará de sí.

Al conde le gustó mucho lo que le contó Patronio. Como a don Juan le pareció este cuento muy bueno, lo

---

juegos de armas, aquí ejercicios de armas.

murallas, ver ilustración en página 42

so pena de su bendición, so = bajo, *pena* = castigo, *bendición* = hacer sobre el aire o sobre la cabeza de alguien la figura de la cruz a la vez que se dice algo. El rey le castigaría a no darle la bendición. La forma «so pena de» se usa hoy.

franqueza, cualidad de franco, que dice siempre la verdad

hizo escribir en este libro e hizo unos versos que dicen así:

Por su obras y maneras podrás conocer
lo que los mozos llegarán a ser.

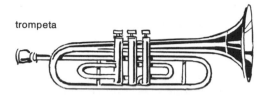

trompeta

Preguntas

1. ¿Qué problema tiene el conde?

2. ¿Cómo intenta resolverlo Patronio?

3. ¿Qué relación tienen las señales internas o externas de una persona con el carácter? ¿Está usted de acuerdo con Patronio?

4. Describa el carácter de los dos hijos mayores.

5. Hable de la diferencia de conducta de estos dos jóvenes comparada con la del hermano menor.

6. ¿Qué hace el hermano menor?

7. ¿Qué relación tiene cada uno de los hermanos con el padre?

8. De lo que hace el hijo menor ¿qué visión de la corte ha sacado usted?

9. ¿Qué estructura tiene este cuento? ¿Puede señalar sus partes?

VI
DE LO QUE LE SUCEDIÓ AL ÁRBOL
DE LA MENTIRA

Un día hablaba el conde Lucanor con Patronio, su consejero y le dijo:

– Patronio, sabed que estoy muy disgustado y a punto de reñir con unas personas que no me quieren bien y que son hombres tan mentirosos y *enredadores* que no hacen más que mentir, no sólo conmigo, sino con cualquier persona con la que tratan. Sus mentiras tienen siempre *color de verdad* y se aprovechan tanto de ellas que me causan mucho daño, porque al mismo tiempo que sirven para aumentar su poder, *mueven* a muchas personas contra mí. Estoy convencido de que, si yo quisiera obrar de ese modo, sabría mentir tan bien como ellos: pero como sé que la mentira es mala no soy amigo de ella. Por vuestro buen entendimiento os ruego que me digáis de qué manera debo *portarme* con esos hombres.

– Señor conde Lucanor – respondió Patronio –, para que podáis hacer lo mejor y lo más conveniente me gustaría mucho que supiérais lo que les sucedió a la Verdad y a la Mentira.

El conde le rogó que le contara lo que les había pasado.

Señor conde Lucanor – dijo Patronio –, la Mentira y la Verdad se juntaron una vez, y cuando habían

---

enredador, persona que inventa mentiras y crea problemas
color de verdad, apariencia de verdad
mover, aquí: poner en contra
portarse, aquí: obrar en relación con

pasado ya un tiempo juntas, la Mentira, que es muy inquieta, dijo a la Verdad que deberían plantar un árbol para poder gozar de sus frutos y sentarse a su sombra cuando hiciera calor. La Verdad, como la cosa era fácil y *grata,* dijo que le parecía muy bien.

Cuando el árbol estuvo plantado y empezó a *brotar,* la Mentira le dijo a la Verdad que lo mejor sería repartirlo. A la Verdad le pareció muy bien. La Mentira demostrando con razones elocuentes que como la *raíz* del árbol es lo que le conserva la vida, es su parte mejor, le aconsejó a la Verdad que eligiera las raíces, que están bajo tierra; ella *correría el riesgo* de quedarse con las ramas, que aún habían de salir, y que por estar esa parte del árbol encima de la tierra podía ser el árbol arrancado o cortado por los hombres, o *roido* por los animales, o estropeado por los pájaros, o quemado por el sol, o helado por el frío, peligros de los cuales quedaban libres las raíces del árbol. Al oir la Verdad todas estas razones, como es muy *crédula* y confiada y no tiene *malicia* creyó que era verdad lo que le decía y *se persuadió* de que era cierto lo que la Mentira le decía y que le aconsejaba que se quedara con la mejor parte; por esto tomó para sí la raíz y se quedó contenta con ella. La Mentira se puso muy contenta al ver el engaño de que había hecho víctima a su compañera, dicién-

---

grato, agradable
brotar, salir la planta de la tierra, nacer
raíz, ver ilustración en página 49
correr el riesgo, riesgo = peligro, estar en peligro
roido de *roer,* cortar con los dientes
crédula, que cree lo que le dicen
malicia = *maldad,* calidad de malo
persuadirse, convencerse

dole unas mentiras con tanta apariencia de verdad.

La Verdad se metió debajo de la tierra para vivir allí pues allí es donde están las raíces y era la parte que ella había elegido. La Mentira se quedó sobre la tierra, junto con los hombres y como es muy *lisonjera* todo el mundo estaba muy contento con ella. El árbol empezó a crecer y a echar grandes ramas y hojas muy anchas, que daban mucha sombra y flores muy hermosas, de color vivo y grato a la vista. Cuando las gentes vieron aquel árbol tan hermoso fueron a gozar de su sombra y de sus flores de tan bello color; la mayoría de las gentes se sentían atraídas hasta tal punto que ya no querían moverse de allí; y aún los que estaban en otros sitios se decían unos a otros que si querían descanso y alegría se fueran a poner a la sombra del árbol de la Mentira. Ésta, que es muy lisonjera y que sabe mucho, les hacía pasar muy buenos ratos a los que se juntaban allí y les enseñaba lo que sabía. A las gentes les gustaba mucho aprender aquel arte. De este modo se *atrajo* a la mayoría de las personas, pues a los unos les enseñaba mentiras sencillas, a los más *ingeniosos* mentiras dobles y a los sabios mentiras triples.

Debéis saber que mentira sencilla es cuando uno le dice a otro: «Don *Fulano,* yo haré tal cosa por vos», sin pensar hacerla. Mentira doble es cuando un hombre

---

lisonjero, que alaba a la gente
atraer, llevar hacia sí
ingenioso, aquí: inteligente
don Fulano, don, ver Nota de lengua, *Fulano,* persona indetermi-nada; se usa cuando no se conoce o no se quiere decir el nombre de una persona.

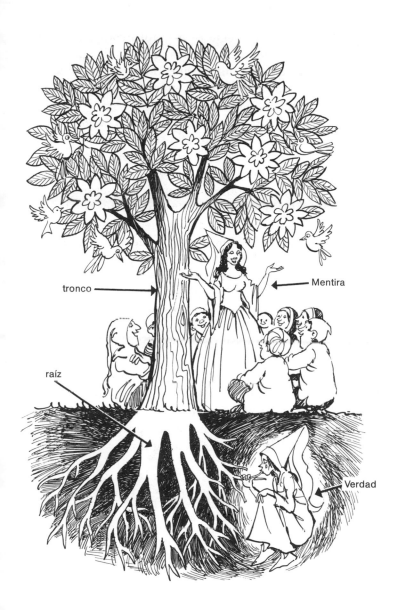

tronco

Mentira

raíz

Verdad

presta juramento, entrega *rehenes,* autoriza a otro a *pactar* por él, y mientras da tales seguridades piensa la manera de no cumplir lo que promete. La mentira triple, que es mortalmente engañosa, es la del que miente y engaña con la verdad.

Sabía la Mentira tanto de esto y sabía enseñarlo tan bien a los que se juntaban a la sombra del árbol que, habiéndolo aprendido, lograban los hombres la mayoría de las cosas que deseaban y no encontraban a nadie que lo ignorara a quien no sometiesen a su voluntad. Lo hacían en parte atrayéndolos con la hermosura del árbol y en parte por medio del arte que les había enseñado la Mentira, de manera que las gentes deseaban estar a aquella sombra y aprender lo que la Mentira les enseñaba.

Con todo esto la Mentira era muy considerada por todas las gentes y estaba siempre muy acompañada, de tal manera que el que lograba menos *privanza* y sabía menos de su arte era menos estimado, e incluso él mismo *se tenía en poco.*

Gozando la Mentira de tanta *popularidad,* la triste y desgraciada Verdad estaba bajo tierra, sin que nadie supiera de ella ni se preocupara de irla a buscar. Viendo que no le quedaba para mantenerse más que las raíces del árbol que había elegido por el consejo de

---

prestar juramento = hacer un juramento, jurar
rehén, persona importante que queda en poder del enemigo hasta que la situación se resuelve
pactar, hacer un *pacto* = acuerdo
privanza, primer lugar en la amistad de una persona importante
tenerse en poco, considerarse inferior y de poco valor e importancia
popularidad, que es popular

la Mentira, se puso a roerlas y a alimentarse de ellas. Aunque el árbol tenía fuertes ramas y anchas hojas, que daban mucha sombra y multitud de flores de hermoso color, antes de que pudiese dar fruto fueron sus raíces comidas por la Verdad.

Cuando habían desaparecido ya todas las raíces, estando la Mentira a la sombra del árbol con las gentes que aprendían su arte, vino un viento y sopló con tal fuerza que, como el árbol no tenía raíces, cayó sobre la Mentira, a la que hirió gravemente, mientras sus discípulos fueron muertos o heridos.

Entonces por el *hueco* que ocupaba el *tronco,* salió la Verdad, que estaba escondida, y al llegar a la superficie vio que la Mentira y todos los que a ella se habían juntado estaban heridos y *arrepentidos* de haber aprendido y haber puesto en práctica lo que la Mentira les había enseñado.

Y vos, señor conde Lucanor, fijaos en que la Mentira tiene hermosas ramas y en que sus flores, que son sus dichos, sus pensamientos y sus lisonjas aunque son muy agradables y a las gentes les gustan mucho, son como sombra y no llegan nunca a dar buenos frutos. Por eso, aunque vuestros contrarios usen de mentiras y engaños, evitadlos y vos no queráis ser compañero suyo en el arte de la Mentira, ni les envidiéis la prosperidad que alcanzan por usar el arte de la Mentira pues podéis estar seguro de que les durará muy poco y de que no pueden tener buen fin. Cuando se consideren más seguros, caerán como cayó el árbol de la Mentira

---

hueco, agujero
tronco, ver ilustración en página 49
arrepentido, que siente dolor por haber hecho algo mal

sobre los que estaban tan a gusto a su sombra. Aunque la Verdad sea *menospreciada* abrazáos a ella y estimadla en mucho, pues con ella viviréis feliz, acabaréis bien y ganaréis la *gracia* de Dios, que os hará rico y respetado en este mundo y os dará en el otro la vida eterna.

Al conde le agradó mucho este consejo que le dio Patronio, lo puso en práctica y le fue muy bien. Viendo don Juan que este cuento era bueno, lo hizo poner en este libro y escribió unos versos que dicen así:

Seguid a la verdad, de la mentira huid
que su mal aumenta el que suele mentir.

---

menospreciada, considerada en menos de lo que vale
gracia, don y regalo que Dios hace al hombre para que éste pueda salvarse y alcanzar la vida eterna

Preguntas

1. ¿En qué duda está el conde sobre si debe mentir o no?

2. ¿En qué problema está metido el conde?

3. ¿Quiere comentar la idea de este cuento al introducir el árbol?

4. ¿Quiere comentar el carácter de los dos personajes no reales del cuento?

5. ¿Cómo viven cada una de estas dos mujeres simbólicas?

6. ¿Qué tipos de mentira muestra el consejero como ilustración?

7. Describa el árbol de la Mentira.

VII
DE LO QUE LE SUCEDIÓ A UN REY CON LOS *BURLADORES* QUE HICIERON EL *PAÑO*

El conde Lucanor hablaba con Patronio, su consejero, y le dijo:

– Patronio, un hombre me ha venido a proponer una cosa muy importante y que dice me conviene mucho, pero me pide que no lo diga a ninguna persona aunque confíe mucho en ella y me *encarece* tanto que guarde el secreto, que me asegura que si lo digo que toda mi *hacienda* y hasta mi vida estarán en peligro. Como sé que nadie *os* podrá decir nada sin que sepáis si es verdad o no, os ruego que me digáis lo que os parece de esto.

– Señor conde Lucanor – respondió Patronio –, para que veáis lo que, según mi parecer, os conviene más, me gustaría que supiérais lo que le sucedió a un rey con tres burladores que fueron a verle.

El conde le preguntó qué le había pasado.

– Señor conde Lucanor – dijo Patronio –, tres burladores fueron a ver a un rey y le dijeron que *eran maestros en* hacer paños muy hermosos y que, especialmente hacían uno que sólo podía ser visto por aquel

---

burlador, que se burla de algo o de alguien, aquí: que engaña a alguien poniéndole en ridículo

paño, tela

encarecer, aquí: insistir en la importancia de guardar algo (aquí: de guadar el secreto)

hacienda, aquí: todo lo que se tiene, riquezas, bienes

os, ver Nota de lengua

ser maestro en algo, hacerlo de un modo perfecto

que fuera hijo del padre que todos consideraban que era su padre, pero que no podía verlo aquel que no lo fuera. Al rey le agradó mucho esto, pues pensó que por tal medio podría saber quiénes eran hijos de los que aparecían como sus padres y quiénes no, y de este modo aumentar sus bienes ya que los moros no *heredan* nada de su padre si no son verdaderamente sus hijos.

El rey mandó que les diesen una casa para hacer el paño.

Ellos le dijeron al rey que para que se viera que no le querían engañar que podía encerrarlos en aquella casa hasta que el paño estuviese acabado. Esto también agradó mucho al rey, que los mandó encerrar en la casa después de haberles dado todo el oro, plata, seda y dinero que necesitaban para hacer el paño.

Ellos pusieron sus *telares* y hacían como si se pasaran el tiempo *tejiendo*. A los pocos días fue uno de ellos a decirle al rey que ya habían empezado a tejer el paño y que era el más hermoso del mundo; le dijo también al rey con qué dibujos y *labores* lo estaban haciendo y le pidió que fuera a verlo, rogándole que fuese solo. Al rey le pareció muy bien todo ello.

Queriendo hacer antes la prueba con otro, mandó el rey a uno de sus servidores para que viese el paño, pero sin pedirle que le dijera luego la verdad. Cuando el servidor vio a los tejedores y oyó lo que decían del paño no se atrevió a decirle al rey que no lo había

---

heredar, recibir algo de otro cuando éste muere. A los que no tienen hijos los hereda el rey

telar, ver ilustración en página 56

tejer, aquí: trabajar en el telar el *tejedor* = el que teje

labor, aquí: figuras que se bordan en la tela

visto. Después mandó el rey a otro servidor quien también dijo que había visto el paño.

Como había oido decir a todos los que había enviado que habían visto el paño, fue el rey a verlo. Cuando entró en la casa vio que los tres maestros se movían como si tejieran y que le decían: «Ved esta labor. Mirad esta *historia*. Eso es *tal* dibujo, esto es tal

historia, aquí: la historia que se había tejido en la tela
tal, aquí se refiere a las posibles cosas que decían los tejedores

color». Aunque los tres estaban de acuerdo en lo que decían la verdad es que no tejían nada. Cuando el rey vio que no tejían y que decían cómo era el paño que él no veía y que los otros habían visto *se tuvo por* muerto, porque creyó que esto le pasaba por no ser hijo del rey, su padre y que por eso no veía el paño, y temió que, si lo decía, perdería el reino. Por lo cual empezó a alabar el paño y se fijó muy bien en cómo lo describían los tejedores. Cuando volvió al palacio refirió a sus cortesanos lo bueno y hermoso que era aquel paño y aún les decía qué figuras había en él, pero él tenía una gran duda sobre si él sería hijo o no del rey su padre.

A los dos o tres días envió el rey a un ministro para que viera el paño. Antes de que fuera, el rey le contó las maravillas y las cosas que él había visto en el paño. El ministro fue a la casa donde estaban los tejedores.

Cuando entró y vio a los maestros que tejían y que decían las cosas que había en el paño y que el rey las había visto, pensó que él no las veía por no ser hijo de aquel a quien *tenía por padre* y que si los demás lo llegaban a saber perdería la honra. Por eso empezó a alabar el paño tanto o más que el rey.

Al volver al palacio el ministro le dijo al rey que había visto el paño y que le parecía la cosa más notable y la más hermosa del mundo. El rey se tuvo por muy desgraciado, pensando que, si su ministro veía el paño y él no, no podía dudar ya de que no era hijo del rey a quien había heredado. Entonces comenzó a alabar aún más la calidad de aquel paño y a alabar a los que tales cosas sabían hacer.

---

tenerse por, considerarse como
tener por padre, ver nota a *tenerse por*

Al día siguiente envió el rey a otro ministro y sucedió lo mismo. ¿Qué más os diré? De esta manera y por temor a la *deshonra* fueron engañados el rey y los demás habitantes de aquel país, sin que ninguno de ellos se atreviera a decir que no veía el paño.

Así pasó la cosa adelante hasta que llegó una gran fiesta. Todos le dijeron al rey que el día de la fiesta debía *vestirse de* aquel paño. Los maestros llevaron el paño cubierto con una sábana y, haciendo como que se lo daban, le preguntaron al rey qué deseaba que le hiciesen con él. El rey les dijo el traje que quería. Ellos le *tomaron medidas* e hicieron como si cortaran el paño que después *coserían*.

Cuando llegó el día de la fiesta fueron al palacio y le llevaron al rey el paño cortado y cosido. Le hicieron creer que le ponían el traje y que le colocaban los *pliegues*. De este modo el rey pensó que estaba vestido sin atreverse a decir que no veía el paño. Vestido de ese modo, montó a caballo para andar por la ciudad. Tuvo la suerte de que era verano. Toda la gente que lo miraba y que sabía que el que no veía el paño era por no ser hijo de su padre, pensando que los otros sí lo veían no decían nada por temor de quedar deshonrados. Por eso todo el mundo ocultaba lo que creía que era su secreto. Hasta que un *negro* que cuidaba el

---

deshonra, pérdida de la honra, ver nota a *honra* en página 10
vestirse de, aquí: vestirse con un traje hecho de aquel paño
tomar medidas, medir, ver ilustración en página 56
coser, unir, generalmente con *hilo* y *aguja* dos o más trozos de tela para hacer un traje. Ver ilustración en página 56
pliegues, ver ilustración en página 56

negro

caballo del rey, y que no tenía honra que perder se
acercó y le dijo:

— Señor, a mí no me importa que me tengáis por hijo
del padre que yo digo que es mi padre, o por hijo de
otro; por eso os digo que o yo soy ciego o vos vais desnudo.

El rey empezó a *insultarle,* diciéndole que no veía el paño por no ser hijo de quien él creía que era su padre. Cuando lo dijo el negro, otro que lo oyó dijo lo mismo y así lo fueron diciendo todos, hasta que el rey y todos los demás perdieron el miedo a la verdad y entendieron el engaño que les habían hecho. Fueron a buscar a los tejedores y no los hallaron, pues se habían ido con lo que habían recibido del rey por medio de este engaño.

– Vos, señor conde Lucanor, pues ese hombre os pide que no sepa ninguno de aquellos en quienes vos confiáis lo que él os dice, estad seguro de que os quiere engañar, pues debéis comprender que él no tiene más motivos para desear vuestro provecho que los que han vivido con vos y han recibido muchos favores de vuestra mano, y por ello deben querer vuestro bien y servicio.

El conde tuvo este consejo por bueno, obró según él y le fue muy bien. Y viendo don Juan que éste era buen ejemplo hizo estos versos que dicen así:

Al que te aconseja ocultar algo a tus amigos le gusta más engañarte que los *higos.*

---

insultar, ofender a alguien con palabras

higo

Preguntas

1. ¿Qué hacen los maestros tejedores y quiénes son?

2. ¿Por qué le pareció bien al rey que el paño tuviese una cualidad especial?

3. ¿Por qué la gente no dice que no ve el paño?

4. ¿Cuál es el problema mayor para esta gente cuando no ve el paño?

5. ¿Qué piensa el rey cuando no ve el paño? ¿Es su problema mayor que el de los otros?

6. ¿En qué consiste la burla?

7. Comente: El miedo que algunos seres humanos tienen a la verdad.

8. ¿Qué piensa usted de la idea de la honra?

9. ¿Por qué el negro es el único que no tiene miedo a la verdad?

10. ¿Qué clases sociales aparecen en este cuento? Hable de cada una de ellas.

11. ¿Piensa usted que el consejo de Patronio al conde es bueno o no? ¿Por qué?

12. ¿Conoce usted la historia en otras literaturas? Coméntela.

VIII
DE LO QUE LE SUCEDIÓ A UN MOZO QUE SE CASÓ CON UNA MUCHACHA DE MUY MAL CARÁCTER

Otra vez, hablando el conde Lucanor con Patronio, su consejero, le dijo así:

– Patronio, uno de mis *criados* me ha dicho que le están tratando de casar con una mujer muy rica y más noble que él, y que este *casamiento* sería muy bueno para él si no fuera por una gran dificultad y ésta es que todos dicen que es la mujer de peor carácter que hay en el mundo. Os ruego que me digáis si debo de aconsejarle que se case con ella, conociendo su carácter, o si debo de aconsejarle que no lo haga.

– Señor conde – respondió Patronio –, si él es capaz de hacer lo que hizo un joven moro aconsejadle que se case con ella; si no lo es, no se lo aconsejéis.

El conde le rogó que le dijese qué había hecho aquel joven moro.

Patronio le dijo que en un pueblo había un hombre honrado que tenía un hijo que era muy bueno, pero que no era tan rico para poder hacer todas las cosas grandes que su corazón le decía que debía hacer. Por ello andaba el joven muy preocupado, pues quería hacer muchas cosas, pero no tenía el poder para hacerlas porque era pobre.

En aquel mismo pueblo había otro vecino más importante y rico que su padre, que tenía una sola

---

criado tiene tanto el valor de sirviente como el de educado y criado por un noble en su casa

casamiento, matrimonio

hija, que era muy contraria al mozo, pues todo lo que éste tenía de buen carácter, lo tenía ella de malo por lo que nadie quería casarse con aquel diablo.

Aquel mozo tan bueno habló un día con su padre y le dijo que bien sabía que él no era tan rico que pudiera dejarle con qué vivir *como pedía su honra* y que, pues tenía que vivir una vida pobre o irse de allí, había pensado, con su *beneplácito,* buscarse algún casamiento con que poder salir de *pobreza.*

El padre le respondió que le agradaría mucho que pudiera hallar algún casamiento que le conviniera. Entonces le dijo el joven que, si él quería, podría pedirle a aquel su honrado vecino que le diera a su hija por esposa. Cuando el padre lo oyó *se asombró* mucho y le preguntó que cómo se le había ocurrido una cosa así, que no había nadie que la conociera que, aunque fuese muy pobre, se quisiera casar con ella. El hijo le pidió a su padre, como un favor, que arreglase aquel casamiento. Tanto le rogó que, aunque el padre lo encontraba muy raro, le dijo que lo haría.

Se fue enseguida a ver a su vecino, que era muy amigo suyo, y le dijo lo que el joven, su hijo, le había pedido y le rogó que, pues se atrevía a casarse con su hija, se la diese por esposa. Cuando el otro oyó la *petición* le contestó diciéndole:

– Por Dios, amigo, que si yo hiciera esto sería muy mal amigo *vuestro,* pues vos tenéis un hijo muy bueno

---

como pedía su honra, aquí: como pedía su clase social
beneplácito, permiso
pobreza, estado de pobre
asombrarse, admirarse
petición, lo que se pide, acción de pedir
vuestro Ver Nota de lengua

y yo *cometería* una gran *maldad* si permitiera su desgracia o su muerte, pues estoy seguro de que si se casa con mi hija, ésta le matará o le valdría más la muerte que la vida. Y no creáis que os digo esto por no hacer lo que me pedís pues, si la queréis, yo tendré mucho gusto en darla a vuestro hijo o a cualquier otro que la saque de casa.

El padre del joven le dijo que le agradecía mucho lo que le decía y que, pues su hijo quería casarse con ella, que le rogaba que le concediese lo que le pedía.

Se celebró la *boda* y llevaron a la novia a casa del marido. Los moros tienen la costumbre de prepararles la cena a los *novios, ponerles la mesa* y dejarlos solos en su casa hasta el día siguiente. Así lo hicieron, pero los padres y parientes de los novios estaban con mucho miedo, temiendo que al otro día le encontrarían a él muerto o *malherido*.

Cuando se quedaron solos en su casa, se sentaron a la mesa, mas antes de que ella pudiera decir nada miró el novio alrededor de sí, vio un perro y le dijo *airadamente*

– ¡Perro, *dadnos agua a las manos*!

El perro no lo hizo. El joven comenzó a enfadarse y

---

cometer, hacer
maldad, acción mala
boda, casamiento
novios, aquí: recién casados
ponerles la mesa, preparar la mesa con todo lo necesario para la comida
malherido, herido gravemente
airadamente, con ira
dar agua a las manos, frase con la que se expresa la costumbre antigua de llevar agua a alguien para que se lave las manos antes de la comida

a decirle al perro, aún más airadamente que antes, que
les diese agua a las manos. El perro no lo hizo. Al ver el
mancebo que no lo hacía, se levantó de la mesa muy
enfadado, sacó la espada y se dirigió al perro. Cuando
el perro le vio venir empezó a huir y el mozo a perse-

---

mancebo, joven

guirle, saltando ambos sobre los muebles y el fuego, hasta que lo alcanzó y le cortó la cabeza y las patas y lo hizo pedazos, *ensangrentando* la mesa y la ropa.

Muy *enojado* y lleno de sangre se volvió a sentar a la mesa y miró alrededor. Vio entonces un gato, al cual le dijo que les diese agua a las manos. Como no lo hizo volvió a decirle:

– ¿Cómo, traidor, no has visto lo que hice con el perro porque no quiso hacer lo que le mandé? Te aseguro que, si no haces lo que te digo, haré contigo lo mismo que hice con el perro.

El gato no lo hizo, pues tiene tan poca costumbre de dar agua a las manos como el perro. Viendo que no lo hacía, se levantó el mozo, lo cogió por las patas, dio con él en la pared y lo hizo pedazos con mucha más rabia que al perro. Muy enfadado y con la *faz torva* se volvió a la mesa y miró a todas partes. La mujer, que le veía hacer esto, creía que estaba loco y no le decía nada.

Cuando ya había mirado por todas partes vio un caballo que tenía en su casa, que era el único que poseía, y le dijo lleno de *cólera* que les diese agua a las manos. El caballo no lo hizo. Al ver el joven que no lo hacía, le dijo al caballo:

– ¿Cómo, *don* caballo? ¿Pensáis que porque no

---

ensangrentar, manchar de sangre

enojado, con mucha ira

faz torva, faz, forma antigua = cara, *torva,* con expresión de ira y muy terrible

cólera, ira

don caballo, Ver Nota de lengua, aquí: forma de decir, *don* se aplica solamente a personas, ver nota en pág. 18 y por eso dice *pensáis* = piensas, *os dejaré* = te dejaré además tiene la función de marcar la distancia

tengo otro caballo os dejaré hacer lo que queráis? Si no hacéis lo que os mando, juro a Dios que os he de dar tan mala muerte como a los otros; y no hay en el mundo nadie que me *desobedezca* a mí con el cual no *haga otro tanto.*

El caballo se quedó quieto. Cuando el joven vio que no le obedecía se fue a él y le cortó la cabeza y lo hizo pedazos. Al ver la mujer que mataba el caballo, aunque no tenía otro, y que decía que lo mismo haría con el que no le obedeciera, comprendió que no era una broma, y le entró tanto miedo que ya no sabía si estaba muerta o viva.

Colérico y ensangrentado se volvió el marido a la mesa, jurando que si tuviera en casa mil caballos, hombres o mujeres que le desobedecieran, los mataría a todos. Se sentó y miró a todas partes, teniendo la espada llena de sangre entre las rodillas.

Miró a un lado y a otro sin ver a ninguna *criatura viviente,* entonces volvió los ojos con mucha ira hacia su mujer y le dijo lleno de cólera, la espada en la mano:

– Levántate y dame agua a las manos.

La mujer, que esperaba de un momento a otro ser *despedazada,* se levantó muy deprisa y le dio agua a las manos.

Le dijo el marido:

– ¡Ah, cómo agradezco a Dios el que hayas hecho lo que te mandé! Si no lo hubieras hecho, por el *enojo*

---

desobedecer, no obedecer
hacer otro tanto, hacer lo mismo
colérico, lleno de cólera
criatura, persona o animal, *viviente* = que vive, que está viva
despedazar, hacer pedazos
enojo, sentimiento de ira

que me han causado esos locos, hubiera hecho contigo lo mismo.

Después le mandó que le diese de comer. Ella lo hizo. Cada vez que le mandaba hacer una cosa lo hacía tan enfadado y con tal tono de voz que ella creía que su cabeza ya andaba por el suelo. Así pasaron la noche los dos, sin hablar la mujer, pero haciendo siempre lo que él le mandaba hacer. Se fueron a dormir y, cuando ya habían dormido un rato, el mozo le dijo a su mujer:

– Con la ira que tengo no he podido dormir bien, esta noche; cuida de que nadie me despierte mañana y de prepararme un buen desayuno.

A media mañana los padres y parientes de los dos fueron a casa de los novios y llegaron a la puerta. Al no oir a nadie, temieron que el novio estuviera muerto o herido. Viendo por entre las puertas a la mujer y no a él, se asustaron mucho más. Pero cuando la novia les vio a la puerta se les acercó silenciosamente y les dijo con mucho miedo:

– ¡Locos, traidores! ¿Qué hacéis ahí? ¿Comó os atrevéis a llegar a esta puerta? ¿Comó os atrevéis a hablar? Callad, que si no todos *seremos muertos*.

Cuando oyeron esto se llenaron de *asombro*. Al enterarse de cómo habían pasado la noche, admiraron mucho al joven, que así había sabido, desde el principio, *gobernar* su casa. Desde aquel día en adelante fue la muchacha muy obediente y vivieron juntos con mucha paz.

---

ser muerto, aquí: nos matará a todos y de ahí: seremos/estaremos muertos.
asombro, admiración
gobernar, aquí: dirigir

A los pocos días el *suegro* quiso hacer lo mismo que el yerno y mató un *gallo*. Su mujer le dijo:

– La verdad, don Fulano, que te has acordado tarde, pues ya de nada te valdrá matar cien caballos; tendrías que haber empezado antes, que ahora ya te conozco.

Vos, señor conde, si ese criado vuestro quiere casarse con esa mujer y es capaz de hacer lo que hizo este joven moro, aconsejadle que se case que él sabrá cómo gobernar su casa; pero si no fuere capaz de hacerlo, dejadle que sufra su pobreza sin querer salir de ella. Y aún os aconsejo que a todos los que tengan relación con vos les *deis a entender* desde el principio cómo han de obrar con vos.

El conde tuvo este consejo por bueno, obró según él y le salió muy bien. Como don Juan vio que este cuento era bueno, lo hizo escribir en este libro y compuso unos versos que dicen así:

> Si al principio no te muestras como eres
> no podrás hacerlo cuando tú quisieres.

gallo

---

suegro, el padre de la esposa con relación al marido
dar a entender, hacer saber

Preguntas

1. ¿Por qué quiere casarse el joven bueno con la muchacha de mal carácter?

2. ¿Cómo se imagina usted una boda en el siglo XIV?

3. ¿Qué hace el joven para imponer su autoridad en la casa? ¿Qué le parece a usted esta manera de obrar?

4. ¿Cómo reacciona la mujer? ¿Puede comentar la relación de la pareja tal como se plantea en este cuento?

5. ¿Qué piensan los parientes cuando a la mañana siguiente van a casa de los novios?

6. ¿Qué hace el suegro del joven? ¿Dónde está lo humorístico? ¿Cuál debe ser la relación de esta pareja?

9. ¿Cuál es su opinión sobre este relato?

10. ¿Puede describir la vida diaria que se refleja en este cuento?

11. ¿Cuál es el mensaje de este cuento?

12. ¿Conoce la relación entre los moros y los cristianos en la época de don Juan Manuel? Coméntela.

IX
DE LO QUE LE SUCEDIÓ AL MAL CON EL BIEN Y AL *CUERDO* CON EL LOCO

El conde Lucanor hablaba una vez con Patronio, su consejero, de esta manera:

– Patronio, a mí me sucede que tengo dos vecinos: el uno es persona a quien quiero mucho y debo querer, pues hay entre los dos muchos motivos de *agradecimiento,* pero que a veces me hace cosas que me *perjudican*; el otro no es persona con quien yo tenga gran amistad, ni tengo gran razón para quererle, ni le debo querer; éste también me hace algunas cosas que no me gustan. Por vuestro buen entendimiento os ruego que me digáis el modo de portarme con ellos.

– Señor conde Lucanor – respondió Patronio –, esto que me preguntáis no es una cosa, sino que son dos, y muy distintas la una de la otra. Para que en esto podáis hacer lo que más os conviene, me gustaría que supierais lo que sucedió al Mal con el Bien y lo que le pasó a un hombre bueno con un loco.

El conde le rogó que se lo contara.

– Señor conde – dijo Patronio –, como éstas son dos historias distintas, primero os contaré lo que le sucedió al Mal con el Bien y luego lo que le pasó a un hombre bueno con un loco.

El Bien y el Mal resolvieron vivir juntos. El Mal, que es muy inquieto y nunca puede estar tranquilo sino

---

cuerdo, el hombre normal, que tiene buen sentido
agradecimiento, acción de agradecer
perjudicar, producir perjuicio, daño material o espiritual

que siempre anda pensando en hacer algún engaño o algún mal le dijo al Bien que debían *procurarse* algún *ganado* para mantenerse. Ello le agradó al Bien y convinieron en criar *ovejas*. Cuando *parieron* éstas le dijo el Mal que era mejor que cada uno escogiera la parte del *esquilmo* que quería para sí. El Bien, como es tan *mirado,* no quiso elegir, sino que le dijo al Mal que escogiese él primero. El Mal, como es malo y atrevido le propuso al Bien que se quedara con los *corderitos,* que él tomaría la leche y la lana de las ovejas. El Bien dijo que le parecía bien así.

Después de esto el Mal le propuso al Bien que criaran *cerdos.* El Bien asintió. Cuando las *puercas* parieron, le dijo el Mal que pues la otra vez se había quedado con los corderitos y él con la leche y la lana de las ovejas, lo justo sería que el Bien se quedara ahora con la leche y la lana de las puercas y que él tomara los *lechoncitos.* Así lo hicieron.

Después dijo el Mal que debían cultivar algunas *hortalizas* y sembraron *nabos.* Cuando nacieron, dijo el Mal al Bien que él no sabía lo que había debajo de la tierra, ya que no se veía, pero para que el Bien viese lo que tomaba, que cogiera el Bien las hojas de los nabos,

---

procurarse, buscar, conseguir

ganado, animales cuya carne o productos se pueden comer

parir, echar fuera de su cuerpo la oveja el cordero que ha llevado dentro

esquilmo, frutos y productos que se obtienen de las tierras y ganados

mirado, aquí: bueno, prudente

puerca, femenino de *puerco* = cerdo; aquí cerda, *hembra* (= parte femenina de la pareja) del cerdo

hortalizas, todas las plantas *comestibles* (= que se pueden comer) y que se cultivan en un huerto como *nabos, coles,* ver ilustración

cintura · puerca · lechoncito · cerdo · oveja · corderito · mazo · cubo · col · nabo

que sí se veían, y que él se *conformaba* con lo que hubiera bajo tierra. El Bien aceptó.

Luego sembraron *coles*. Al nacer éstas le dijo el Mal que pues antes se había quedado con lo que se veía de los nabos, que ahora cogiera de las coles lo que estaba bajo tierra. El Bien lo cogió.

---

conformarse, estar o quedar conforme con algo

Poco tiempo después dijo el Mal al Bien que deberían buscar una mujer para que los sirviera. Al Bien le pareció ésta una idea muy buena. Cuando la hallaron propuso el Mal que de *cintura* para arriba fuera del Bien y que él se quedaba con la otra mitad, desde la cintura a los pies. Como el Bien aceptó, la parte del Bien hacía lo necesario para los dos en la casa, mientras que la del Mal estaba casada con él y tenía que dormir con su marido.

La mujer quedó *embarazada* y *dio a luz* un niño. Cuando su madre quiso *darle de mamar,* el Bien lo prohibió diciendo que la leche estaba en su parte y que no lo consentiría de ninguna manera. Cuando llegó el Mal muy contento a ver a su hijo, halló que la madre estaba llorando y le preguntó que por qué lloraba. La madre le contestó que porque su hijo no podía *mamar.* Esto le extrañó mucho al Mal, pero la madre le contó que el Bien no se lo permitía porque el pecho estaba en su parte. Cuando el Mal oyó esto, se fue a donde estaba el Bien y, riendo, le pidió que dejara mamar a su hijo. El Bien le respondió que la leche estaba en su parte y que no le dejaba. El Mal muy *afligido,* comenzó a rogarle. Al verle tan afligido, el Bien le dijo:

– Amigo, no penséis que yo no me daba cuenta de las partes que vos cogíais y de las que me dabais a mí; yo jamás os pedí nada de lo vuestro y lo pasé muy miserablemente con las partes que vos me dabais, y

---

cintura, ver ilustración en página 73
embarazada, la mujer que va a tener un hijo
dar a luz, se dice de las mujeres cuando nace el hijo = parir
dar de mamar, dar la madre o la hembra la leche del pecho al hijo
mamar, sacar el hijo la leche del pecho de la madre
afligido, muy triste

vos nunca os *compadecísteis* de mí. Si ahora Dios os ha traído a una situación en la que necesitáis de lo mío, no os extrañéis de que no os lo dé sino acordaos de lo que me habéis hecho y sufridlo a cambio de aquello.

Cuando el Mal oyó lo que el Bien le decía y comprendió que era verdad y que su hijo tenía que morir, se afligió aún más y le pidió al Bien que por el amor de Dios se compadeciera de su hijo olvidando las maldades que él había hecho, y que le prometía hacer lo que el Bien quisiera.

Al oir esto el Bien, le pareció que Dios le había favorecido mucho haciendo que el hijo del Mal sólo pudiera salvar su vida por bondad suya, y quiso que esto sirviera para *corregirle* por lo que le dijo al Mal que si quería que permitiera que la mujer diera de mamar a su hijo, tenía que salir por las calles con el niño en brazos, diciendo, de forma que lo oyera toda la gente: «Amigos, sabed que por medio del bien vence el Bien al Mal.» y que si lo hacía así que él consentiría que la madre le diese la leche al niño. Esto le agradó mucho al Mal, que pensó que había comprado muy barato la vida del niño. El Bien a su vez pensó que sería muy buena *enmienda* para el Mal. De este modo supo todo el mundo que el Bien vence al Mal por medio del bien.

Al hombre cuerdo le pasó con el loco algo muy distinto. La cosa fue así. Un hombre honrado era dueño de una casa de baños. El loco veía a las gentes que se

---

compadecer, sentir compasión
corregir, hacer bien lo que antes estaba mal hecho, aquí se aplica a la conducta
enmienda, acción y efecto de *enmendar* = corregir y también arrepentirse

estaban bañando y les daba tantos golpes con los *cubos,* con piedras y palos o con lo que hallaba a mano que ya nadie se atrevía a ir a los baños. Con ello el hombre honrado perdió su ganancia.

Cuando vio lo que sucedía, el hombre honrado madrugó un día y se metió en la casa de baños antes de que llegara el loco. Se quitó la ropa y cogió un cubo de agua muy caliente y un *mazo* muy grande de madera. Al llegar el loco a la casa de baños para pegar a los que se bañaban, como solía hacer, el hombre honrado, que le estaba esperando desnudo, se dirigió a él con mucha *furia,* le echó el cubo de agua caliente por la cabeza y le dio en ella y en el resto del cuerpo tantos golpes con el mazo que el loco se tuvo por muerto y creyó que el otro también se había vuelto loco. Salió gritando mucho y *topó* con un hombre que le preguntó que por qué salía dando tantas voces y quejándose tanto. El loco le dijo:

– Amigo, tened cuidado, que hay otro loco en la casa de baños.

Vos, señor conde Lucanor, gobernaos así con vuestros dos vecinos. A éste con quien tenéis tanta amistad que no creéis que pueda romperse en toda la vida, hacedle siempre buenas obras y, aunque os cause a veces algún perjuicio, *alojadle* cuando venga a veros y ayudadle en sus necesidades pero dándole siempre a entender que lo hacéis por amistad y cariño y no por otra causa; al otro con quien no tenéis tanta amistad

---

cubo, mazo, ver ilustración en página 73
furia, ira violenta
topar, encontrarse con alguien
alojadle, imperat. de *alojar,* recibir como huésped a alguien en la casa propia

no le aguantéis nada, mas hacedle comprender que haréis todo lo posible por *vengar* cualquier daño que recibáis de él, ya que el mal amigo conserva la amistad más por miedo que por otra cosa.

El conde tuvo este consejo por bueno, obró según él y le fue muy bien. Como don Juan viera que estos cuentos eran muy buenos, los hizo poner en este libro y escribió unos versos que dicen así:

Por medio del bien el Bien vence al Mal
no vale de mucho al malo aguantar.

---

vengar, tomar venganza = satisfacción que se toma del daño recibido

Preguntas

1. ¿Cuál es la cuestión que plantea el conde?

2. Describa el carácter de los dos personajes simbólicos.

3. ¿Cuáles son las propuestas que el Mal le hace al Bien?

4. Analice cada una de las propuestas y comente dónde está la maldad.

5. En el caso de la mujer hay además otra problemática: ¿quiere comentar la elección del Mal?

6. ¿Qué problema se le plantea al Mal?

7. ¿Tiene razón el Bien al plantear el problema? ¿Le parece buena la solución del conflicto?

8. ¿Quiere comentar el ambiente social que refleja el cuento?

9. ¿Quiere comentar qué tipo de locura es la del loco?

10. ¿Le parece una buena solución la del hombre cuerdo?

11. ¿Cuál es la enseñanza que se debe sacar de cada uno de estos ejemplos?

12. Puede comentar el carácter de los ejemplos I a IX.

X

DE LO QUE SUCEDIÓ A UN REY CRISTIANO QUE ERA MUY PODEROSO Y MUY *SOBERBIO*

Otra vez hablando el conde Lucanor con Patronio, su consejero, le dijo así:

– Patronio, muchos me dicen que la *humildad* es una de las cosas con las que el hombre se puede hacer más grato a Dios, mientras que otros me dicen que los humildes son menospreciados por los demás y tenidos por gentes de poco *esfuerzo* y poco corazón. Dicen que por ello la soberbia es muy conveniente y muy provechosa para el gran señor. Como yo sé que nadie sabe mejor que vos lo que debe hacerse, os ruego que me aconsejéis cuál de estas dos cosas es más conveniente para mí y qué debo hacer.

– Señor conde Lucanor – dijo Patronio, para que veais qué es lo mejor y lo más provechoso me gustaría que supiéseis lo que le sucedió a un rey cristiano que era muy poderoso y muy soberbio.

El conde le rogó que se lo contara.

– Señor conde – dijo Patronio, en un país cuyo nombre no recuerdo había un rey muy joven, rico y poderoso. Este rey era tan soberbio que una vez oyendo el *cántico* a *Nuestra Señora* que empieza así: *Magníficat* y cuyo primer *versículo* significa en nuestro

---

soberbio, lo contrario de humilde
humildad, cualidad de humilde
esfuerzo, aquí: valor
cántico, canto, *Nuestra Señora,* la Virgen María
magníficat, palabra latina = alaba; se refiere a lo que dijo la Virgen cuando el ángel le dijo que iba a ser madre de Dios. El verso primero del cantar es: «Mi alma alaba al Señor»
versículo, aquí: verso

romance que Dios humilló a los poderosos y *exaltó* a los humildes, le molestó tanto que mandó que en su reino se *borrara* el versículo y en su lugar se pusiera otro que quería decir que: Dios Nuestro Señor exaltó a los poderosos e hizo *caer por tierra* a los humildes. Esto le desagradó mucho a Dios por ser lo contrario de lo que había dicho la Virgen, que cuando se vio madre del Hijo de Dios y *convertida* en señora de los cielos y la tierra dijo de sí misma que: porque Dios había considerado la humildad de su *sierva* la habían de llamar *bienaventurada* todas las gentes. Y, en efecto, ninguna mujer, ni antes ni después, fue tan bienaventurada como ella por sus virtudes, pero, sobre todo, por su humildad por la que mereció ser madre de Dios, reina de los cielos y de la tierra y señora del *coro* de los ángeles.

Al rey soberbio le sucedió todo muy al contrario, pues un día quiso ir a la casa de baños y fue allá muy orgulloso y con mucho acompañamiento. Se desnudó y dejó su ropa fuera de la sala donde se bañaba. Mientras se bañaba, Dios Nuestro Señor mandó a un ángel

---

romance, aquí: castellano; se dice de todas las lenguas que proceden del latín

exaltar, aquí: *elevar* (= poner más alto, aumentar) la dignidad

borrar, quitar, hacer desaparecer

caer por tierra, aquí fig. humillar, castigar

convertirse, aquí: pasar de ser una cosa a ser otra

siervo, aquí: nombre que se da una persona en relación con otra para mostrarle que está dispuesto a servirle

bienaventurado, feliz, se dice de los que gozan de Dios. El verso completo es: «me llamarán bienaventurada todas las generaciones»

coro, conjunto de personas reunidas para cantar; aquí los ángeles que cantan: gloria a Dios

ropas andrajosas   corona   manto

al baño, el cual, tomando la figura del rey, salió del baño, se vistió su ropa y se fue a palacio, seguido de su gente. A la puerta de la sala donde estaba el rey dejó un vestido muy viejo y muy *andrajoso,* como los que llevan los pobrecillos esos que piden *limosna* de puerta en puerta.

El rey, se quedó en el baño sin darse cuenta de nada de esto y, cuando fue la hora de salir del baño, llamó a sus camareros y a los cortesanos que le acompañaban; pero, por mucho que llamó, no respondió ninguno, porque se habían ido con el ángel, creyendo que iban con el rey. Cuando éste vio que nadie le respondía se enfadó mucho y empezó a jurar que les haría morir en

---

andrajoso, de *andrajo* ropa muy usada y rota en pedazos
limosna, dinero o comida que se da a los pobres

medio de terribles *tormentos*. Teniéndose por burlado salió desnudo del baño, con la esperanza de que hallaría a alguno de sus servidores que le ayudara a vestirse; pero cuando llegó al sitio donde esperaba encontrar a los suyos y no vio a nadie, empezó a mirar por todos los sitios de la casa de baños y no encontró a nadie a quien preguntar qué había pasado. Andando muy preocupado y sin saber qué hacer vio aquel vestido roto y andrajoso tirado en un rincón, y pensó ponérselo e irse *en secreto* a su palacio, donde podría vengarse cruelmente de los que le habían hecho aquella burla. Se vistió y se fue al *alcázar* y cuando llegó vio en la puerta a uno de sus guardias, que conocía muy bien y que era su *portero* y que le había acompañado al baño. Le llamó y le dijo en voz baja que abriera la puerta y que le metiera enseguida en el palacio para que nadie pudiera verle con aquella ropa.

El portero que tenía *ceñida* la espada y en la mano una pesada *maza*, le preguntó quién era y por qué quería entrar en el palacio. El rey le dijo:

– ¡Ah, traidor! ¿No te basta la burla que me habéis hecho al dejarme en el baño y obligarme a venir vestido de este modo? ¿No eres tú Fulano y no sabes que yo soy el rey, tu señor, a quien dejasteis solo en el baño? Ábreme la puerta antes de que venga nadie que

---

tormentos, dolor *corporal* (= del cuerpo) que se causa al que se castiga
en secreto, sin que nadie lo supiese
alcázar, palacio
portero, criado que cuida la puerta
ceñir, aquí: *sujetar* = asegurar la espada para que no se caiga; la espada se ceñía a la cintura generalmente, pero también al cuello, mediante un *cinto* o *cinturón.* Ver ilustración

maza

mango

portero

cinto-cinturón

me pueda reconocer, que si no lo haces yo te haré matar de manera cruel.

– Loco – dijo el portero –. Vete ahora mismo y no digas más locuras que si no, yo te castigaré como se hace con los locos. El rey, mi señor, hace ya mucho rato que vino del baño con todos nosotros, y ha comido y está en la cama, y ten cuidado de no hacer aquí más ruido con que le despiertes.

Cuando el rey oyó esto pensó que lo decía por burlarse de él y, lleno de ira y de tristeza, *arremetió* contra el portero, queriéndole coger por los pelos. El portero, al verle, no le quiso herir con la maza sino que le dio un golpe muy grande con el *mango* de ella, con el que le hizo echar sangre por varias partes. El rey, al sentirse herido y ver que el portero tenía espada y maza y que él no tenía nada con qué atacar ni con qué defenderse, temiendo que el otro se hubiera vuelto loco y que si le decía cualquier otra cosa le mataría, pensó en irse a casa de su mayordomo y ocultarse allí hasta que se curara, después de lo cual podría tomar venganza de los traidores que le habían hecho aquella burla.

Cuando llegó a casa de su mayordomo, si mal le había ido con el portero, le fue mucho peor en casa del mayordomo.

De allí se fue lo más en secreto que pudo en busca de la reina, su mujer, *persuadido* de que todo venía de que aquellas gentes no le conocían y de que, aunque todo el mundo le *desconociera,* su mujer le conocería sin duda alguna. Pero cuando llegó a donde ella estaba y le dijo lo que le había pasado y que él era el rey, la reina, temiendo que si el rey, a quien suponía en el palacio, supiese que ella escuchaba estos

---

arremeter, atacar con fuerza y con furia
mango, ver ilustración en página 83
mayordomo, criado principal
persuadido, aquí: convencido
desconocer, no conocer

disparates, se disgustaría, mandó que le dieran muchos palos y que echaran a aquel loco a la calle, pues había ido donde ella solamente a decirle locuras.

El pobre rey, al verse tratado así, no supo qué hacer, y se fue malherido y triste a un *hospital,* en el cual estuvo muchos días. Cuando tenía hambre, pedía limosna de puerta en puerta. Las gentes le decían, burlándose de él, que cómo estaba tan pobre, siendo nada menos que el rey del país. Y tantas gentes se lo dijeron y lo oyó tantas veces y en tantos lugares, que él mismo creyó que estaba loco y que, en su locura, se imaginaba que había sido el rey de aquella tierra. De esta manera vivió mucho tiempo y todos pensaban que padecía una locura que padecen muchos hombres y que consiste en creerse que son otra cosa de lo que en realidad son o que se piensan que están en otro *estado,* superior al que tienen.

Estando aquel hombre en tan triste *estado,* la *misericordia* de Dios que solamente desea el bien de los pecadores y siempre los pone en camino de la salvación, hizo que el *desdichado,* que había caído por soberbia en aquella *ruina,* pensara en su desgracia. Y quiso Dios que pensara que esta desgracia le había venido por su soberbia y en castigo de sus pecados. Y sobre todo por la soberbia que había tenido al mandar cambiar, con

---

disparate, dicho fuera de razón
hospital, además de «lugar donde se cura» a un enfermo, tenía también el sentido de lugar a donde iban a dormir los que no tenían otro lugar; no siempre les daban de comer
estado, clase social; *estado,* situación
misericordia, virtud de Dios por la que perdona a los hombres
desdichado, que padece muchas desgracias
ruina, aquí: desgracia

tanta locura, las palabras de Nuestra Señora. Cuando el desdichado rey comprendió esto, empezó a sentir en su corazón tan gran dolor y arrepentimiento que no se podría expresar con palabras. De tal manera que más le *pesaba* de haber ofendido a Dios que la pérdida del reino que había sido suyo. Y cuanto más lo consideraba, lloraba más y pedía a Dios perdón de sus pecados, sin pensar jamás en pedirle a Dios que le devolviera su antigua *corona* porque ya no estimaba las cosas de este mundo sino que solamente aspiraba a salvar su alma.

Y creed, señor conde, que a cuantos *ayunan,* dan limosnas, rezan o hacen alguna buena obra para que Dios les de o les conserve la salud del cuerpo, las dignidades o la honra, aunque no hagan mal, les iría mejor si hiciesen las cosas para alcanzar el perdón de sus pecados o merecer la gloria de Dios.

Cuando Dios vio que el rey ya se había arrepentido de sus pecados y vio que era sincero no sólo le perdonó, sino que quiso devolverle la corona y el reino más *acrecentado.*

Y fue de este modo:

El ángel que hacía de rey por haber tomado su figura llamó a uno de los porteros y le dijo:

– Me cuentan que anda por ahí un loco que dice que fue rey de esta tierra. Quiero que me digas qué tipo de persona es y qué dice.

Sucedió que el portero era aquel que había herido

---

pesar, sentir dolor de haber ofendido a Dios
corona, ver ilustración en página 81. También = reino
ayunar, no comer ni beber. La Iglesia lo mandaba como
penitencia = castigo por los pecados
acrecentar, hacer crecer, aumentar

al rey el día que el rey salió desnudo del baño. Cuando el ángel, que para él era el rey, le pidió noticias de aquel loco le contó cómo las gentes andaban riendo de sus locuras. Oyendo esto el rey mandó que fuera a buscarle y que le llevara ante él.

Cuando el rey, a quien tenían por loco, llegó ante el ángel que hacía de rey, el ángel se apartó un poco con él y le dijo:

– Amigo, me cuentan que *vos* decís que habéis sido rey de este país y que habéis perdido el reino no sé por qué desgracia o motivo. Os ruego, por Dios, que me digáis lo que vos creéis que os ha sucedido, sin ocultar nada, que yo os aseguro que por ello no os vendrá ningún mal.

Cuando el pobre y desgraciado rey, a quien tomaban por loco, oyó decir esto al que ocupaba el *trono,* no supo qué contestar, porque temía que se lo preguntaba para *sonsacarle,* y que si le decía que él era el rey le mandaría matar y vendrían sobre él más desgracias todavía. Pensando todo esto empezó a llorar *desconsoladamente* y a decirle lleno de tristeza:

– Señor, yo no sé qué deciros, pero como pienso que la muerte no es peor que la vida que llevo, y como sabe Dios que ya no me preocupan las riquezas ni los honores, no os quiero ocultar lo que pienso.

Yo veo que estoy loco y que todo el mundo me tiene por tal y me trata como se suele tratar a los locos, y también veo que hace ya mucho tiempo que vivo así.

---

vos ver Nota de lengua
trono, lugar y asiento propio del rey
sonsacar, aquí: querer saber qué pensabe sin decirle por qué
desconsoladamente, sin consuelo posible, con mucha tristeza

Y aunque pudiera ser que alguien se equivocara, si yo no estuviera loco no sería posible que todas las personas, buenas y malas, altas y bajas, *listas* y torpes, así lo creyeran. Pero aunque yo veo esto y lo comprendo, la verdad es que creo que yo fui rey de este país y perdí la corona, al mismo tiempo que la gracia de Dios. Y creo que esto ha sido justo castigo de mis pecados, muy especialmente del pecado de la soberbia y del orgullo que entonces tenía.

Entonces le contó al ángel, a quien él consideraba como el rey, todo lo que había pasado desde que mandó cambiar las palabras de Nuestra Señora. Y lo contaba con muchas lágrimas y con muchas señales de dolor. Cuando el ángel, a quien Dios había mandado tomar su figura y ocupar el trono, vio que se arrepentía de sus *yerros* más que del reino que había perdido, le respondió, por *mandato* de Dios:

– Amigo mío, os puedo asegurar que decís en todo la verdad y que es cierto que fuisteis el rey de este país. Dios os quitó la corona por lo mismo que decís y me mandó a mí, que soy un ángel, para que tomase vuestra figura y ocupase el trono. La misericordia de Dios, que es infinita, ha logrado con este *milagro* dos cosas que son necesarias para que el arrepentimiento sea verdadero: una, que el pecador no quiera volver a su antiguo pecado; otra, que no *finja*. Como Dios ha visto que vuestro arrepentimiento es sincero, os ha

---

listo, inteligente
yerro, equivocación, de *errar* = equivocarse
mandato, acción de mandar
milagro, acto del poder de Dios que sale del poder natural
fingir, dar a entender lo que no es cierto

perdonado y me manda a mí que os devuelva vuestra figura y os deje el trono. Y os ruego y aconsejo que os guardéis de todos los pecados, pero especialmente del pecado de soberbia, pues sabed que de todos aquellos pecados en que los hombres suelen caer el que menos le gusta a Dios es la soberbia.

Cuando el rey, a quien creían loco, oyó decir esto al ángel se echó a sus pies llorando mucho y creyendo todo lo que le decía y le *adoró* como a mensajero de Dios. Entonces le pidió que no se fuese hasta que todo el pueblo estuviera reunido, para que supiera el milagro que el Señor había hecho. El ángel le prometió que lo haría así.

Cuando estuvieron todos juntos, el rey les contó lo que había sucedido. También habló el ángel, que por *voluntad* de Dios se mostró como un ángel. El rey mandó, en *desagravio* de Nuestra Señora y en recuerdo de este milagro, que se escribiera siempre en todo su reino en letras de oro el versículo que él en su soberbia había mandado cambiar.

He oído decir que esto se sigue haciendo hasta el día de hoy en aquel país. Hecho esto el ángel se fue con Dios Nuestro Señor y se quedó el rey con sus gentes. Y de allí en adelante el rey fue muy bueno y trabajó mucho en servicio de Dios y en bien de su pueblo, por lo que alcanzó fama en este mundo y mereció la gloria en el otro.

---

adorar, honrar a alguien, en general poniéndose de rodillas ante él.
voluntad, aquí: el querer de Dios
desagravio, acción y efecto de *desagraviar* = reparar el daño o la ofensa que se ha hecho (= agravio)

Vos, señor conde Lucanor, si queréis lograr la gracia de Dios y la fama del mundo, haced buenas obras y, de todos los pecados, huid de la soberbia, siendo muy humilde. Pero sed humilde sin perder el *decoro* a vuestra persona, de modo que seáis humilde, pero no *humillado*.

Al conde le agradó mucho este consejo y le pidió a Dios que le ayudara para poder seguir siempre este consejo tan bueno. Y como a don Juan le gustó mucho también esta historia, la hizo poner en este libro y escribió unos versos que dicen así.

A los que son humildes, Dios mucho les *ensalza,*
mientras que a los soberbios los hiere como maza.

decoro, honra, consideración
humillado, ofendido en la dignidad
ensalzar, elevar, engrandecer

Preguntas

1. ¿Cuál es el problema que plantea el conde esta vez?

2. Describa la vida que parece llevar el joven rey.

3. ¿Qué hizo el rey?

4. ¿Quiere comentar el sentido religioso de Patronio?

5. ¿Quiere comentar la «realidad» del ángel?

6. ¿Cómo aparecen en el cuento mezclados los dos niveles, el del ángel (Dios, sobrenatural) y el del rey (mundo, natural)?

7. ¿Qué le pasó al rey en el baño y cuáles fueron las consecuencias?

8. ¿Cómo evoluciona el carácter del rey? ¿Cuál es su problema?

9. ¿Cuál es el desenlace del cuento? ¿Cuál es el mensaje?

10. ¿Qué le han parecido los 10 cuentos que ha leído?

11. ¿Puede hacer una clasificación por temas?

12. ¿Cuál parece ser la idea de don Juan Manuel al escribir estos cuentos?